救国シンクタンク叢書

大国のハイブリッドストラグル

大国は自己の権益を拡張せんと蠢いている

救国シンクタンク［編］

総合教育出版

令和四年一月二二日に開催した
第3回救国シンクタンクフォーラム「大国のハイブリッドストラグル2022新春」

部谷

奥

小

はじめに

江崎道朗（救国シンクタンク理事・研究員）

二〇二二年一月二二日、東京都内で「大国のハイブリッドストラグル２０２２新春」と題するフォーラムが開催されました。この「ハイブリッドストラグル（Hybrid Struggle）」は、中川コージ氏による造語、新しい概念です。

実は近年、「ハイブリッド（複合）戦」という用語が使われるようになってきています。令和二年度版防衛白書でも、次のように解説されています。

《いわゆる「ハイブリッド戦」は、軍事と非軍事の境界を意図的に曖昧にした現状変更の手法であり、このような手法は、相手方に軍事面にとどまらない複雑な対応を強いることになります。

例えば、国籍を隠した不明部隊を用いた作戦、サイバー攻撃による通信・重要インフラの妨害、インターネットやメディアを通じた偽情報の流布などによる影響工作を複合的に用いた手法が、「ハイブリッド戦」に該当すると考えています。このような手法は、外形上、「武力の行使」と明確には認定しがたい手段をとることにより、軍の初動対応を遅らせるなど相手方の対応を困難なものにするとともに、自国の関与を否定するねらいがあるとの指摘もあります。》

戦争と言えば、武器を使う戦闘をイメージしますが、テクノロジーの進歩などに伴い、《サイバー攻撃による通信・重要インフラの妨害、インターネットやメディアを通じた偽情報の流布など》非軍事手段による「攻撃」が日常的に行われるようになっており、有事と平時との境界がなくなってきています。

しかも《自国の関与を否定するねらい》をもった非軍事手段が多用されることによって、誰が敵で、どこにいるのか、その識別が極めて困難になってきているのです。

そこで、複合的な「軍事・非軍事両面での争い」を「ハイブリッド戦」という形で概括し、「戦争」の新たな形態とみなしているわけですが、果たしてそうした視点で現下の国際政治を分析できるのでしょうか。

米中対立に代表される大国のパワーゲームは、軍事面やサイバーや偽情報の流布を伴った「新領域」だけでなく、「金融」「通貨」「貿易」「資源」「言語」などの非軍事「領域」に及んでいます。

よって現在の国際情勢を「新冷戦」のようなハイブリッド「ウォー（戦争）」と捉えるよりも、ハイブリッドな「ストラグル（蠢争）」状態と捉えるべきではないか。そんな問題意識を踏まえて本書をお読みいただければ幸いです。

＊目次

はじめに　江崎道朗　5

序章　中川コージ　11

第一部
クロストークセッション
米中、米露、中露、世界覇権の行方　各国の軍事力　宇宙・サイバー
司会：倉山満
登壇者：渡瀬裕哉・中川コージ・小泉悠・奥山真司・部谷直亮　17

第二部

第一章　アメリカの最優先政策と裏付けとなる価値観　渡瀬裕哉　87

第二章　中国の最優先政策と裏付けとなる価値観　中川コージ　111

第三章　ロシアの最優先政策と裏付けとなる価値観　小泉悠　147

第四章　地政学上の米中露の関係性　奥山真司　179

第五章　現代戦の常識　部谷直亮　203

おわりに　倉山満　225

序章

中川コージ（救国シンクタンク研究員）

本書は、令和四年一月二二日に星陵会館で開催されました、第3回救国シンクタンクフォーラム「大国のハイブリッドストラグル2022新春」（以下、本フォーラム）で語られた内容を、登壇者ら自身が一部加筆修正し、まとめたものです。

本フォーラムは、「ストラグル（蠢争《しゅんそう》）」な国際情勢を分析対象としました。「ストラグル」という概念の定義を確立していく作業が、まさに本フォーラム開催の意義そのものだったといえます。強靱なパワーを持つ大国が取り組む新領域の競争ゲームについて、精緻で革新的な視点を取り入れて分析しています。その上で、日本にとって重要な政策課題の優先順位を見定めることを通じて、立体的な政策提言に結びつけていくことを当初の目的といたしました。

実は、開催の半年以上前から企画しておりましたフォーラム概要として、「二〇二二年現在、世界のマネー、軍事、産業、文化、言語、価値観等々において覇権国家たる米国。そして、その米国に対して新たな覇権国になるべく、その野心を隠さずに米国を猛追する中国。かつてはソ連として米国と冷戦構造で渡り合った軍事大国のロシア。これら米中露三カ国は世界的にも有数のパワーを持つ国家であると同時に、地政学的にも日本を取り囲んでおり、日本にとって最重要の外交環境変数となっています。…」とパンフレットにも記載させていただいておりました。

そして奇遇にも開催日（令和四年一月二二日）が、ロシアによるウクライナに対する本格的な軍事侵攻が始まった令和四年二月二四日の直前の時期に重なったのです。この軍事侵攻によって戦後の国際秩序が変わってしまったという意見もありますが、現時点でその結論を急がずとも、少なくとも大多数の国の外交ムーブに関して技術的転換はないようです。立体的には若干の変化があったものの、面や点ではやはり「ストラグル」な国際情勢であります。ここに本フォーラムの前後での変化はありません。地球俯瞰的な盤面ではこれまで通り、今般の軍事侵攻で負の影響をほとんど受けなかった米中両超大国が中心となる「インド太平洋地域の主戦場性」が高まったようです。

こうした意味におきまして、本フォーラムがすぐに陳腐化してしまったということは無く、むしろ登壇者が示唆する内容の正確性がジェットコースター並みのスピード感で数週間後に証明され、今後さらに一連の見通しが適正であったことが補強されていくように思われます。

登壇者として、米、中、露の三カ国および、軍事、地政学それぞれの領域における新進気鋭の専門家五名が知見を共有しました。奥山真司（国際地政学研究所上席研究員）、小泉悠（東京大学先端科学技術研究センター専任講師）、部谷直亮（慶應義塾大学ＳＦＣ研究所上席所員）の三名の先生をお招きし、救国シンクタンク研究員である渡瀬裕哉、中川コージがコラボいたしました。新「冷戦」概念のような旧来ロジックに依拠しないように細心の注意を払い、虚心坦懐に知性の化合を試みています。

改めまして、本フォーラムの肝となる「ストラグル（蠢争）」の概念について、序章にてラフな骨子を示しておきます。まだ洗練されていない表現はご容赦ください。

――「戦争」、「冷戦」、「新冷戦」などとして用いられる日本語における「戦」の概念ではもはや表現することが困難になった、長期繰り返しゲームにおいての、敵や味方（もはや敵・味方というよりも、利害関係先として、全てのプレーヤー・パーティーを一般化すべきである）が明確ではない複数者関係（国家間関係）をストラグル（蠢争）と定義づける。

この状況は、各焦点国家（プレーヤー）が最大限に合理性を求めながらも、過去に比べて膨大な情報が集まるようになった各国家トップの政治意思決定について、それに関わるリーダーら人間の情報処理の限界から発生している（限界合理性）。

焦点国家の視点として、過去のように対立軸が一元的ではなくなって、多元価値での競争原理によってマネージ不能ともいえる数多の外部パートナーが認識される。例えば、米中の両大国による対立軸は統治価値観（＝イデオロギー）、軍事、マネー、産業、文化、言語等々のあらゆる領域に渡る。米ソ冷戦時のような「自由民主主義陣営」という一枚岩の多国連携がもはや成立し難いことは、統治価値観の軸のみが絶対的でないことの証左である。更に多元価値の中で、「昨日の敵は今日の友」という概念に代表される絶え間ないポジション転換が外部パートナーごとに動的に発生する。

こうした多元価値・多数の利害関係・動的ポジション転換が発生する「複雑性」の

もとでの意思決定は、リーダーらトップマネージメントチーム内の人間の合理的な判断能力を超えるため、情報が豊富であっても極めて限定された合理性に基づくものになってしまう。

短期的には資源投下すべき対象の優先順位をつけることさえ困難である。その結果、焦点国家の動態は、「素早く動いているが、結果的には漸進ないしは殆ど止まっている状態」になる、外からはそのように見える、ことが散見される。長期的で大胆な投資だけが、殆ど唯一のゲーム盤面を変えていく力となるだろう。―

それでは、各専門家の相互作用が新しい知見を生み出す「クロストーク」の第一部、続く、各国、各領域の在り方を個別に語った第二部をお楽しみください。

第一部

米中、米露、中露、世界覇権の行方
各国の軍事力
宇宙・サイバー

司　会：倉山満（救国シンクタンク所長・理事長）

登壇者：渡瀬裕哉（救国シンクタンク理事・研究員）

中川コージ（救国シンクタンク研究員）

小泉悠（東京大学先端科学技術研究センター専任講師）

奥山真司（国際地政学研究所上席研究員）

部谷直亮（慶應義塾大学 SFC 研究所上席所員）

※本内容は令和四（二〇二二）年一月二二日に開催した「大国のハイブリッドストラグル新春2022」にて行われた五名の登壇者によるクロストークセッションを基に文章化しました。そのため時事に関する情報は当時のものになります。

ロシアはウクライナに攻め込むのか？

倉山

それではこれから七〇分間のクロストークを行いたいと思うのですが、先ほど楽屋で「フォーラムに参加している全員が興味を持つ話題は何か」と話したところ「ロシアはウクライナに対して本当に攻め込むのか？」という話題ではないか、ということになりました。

そこで、最初に小泉先生からのお話を宜しくお願い致します。

小泉

確かにウクライナは全員が興味を持つ話題ですよね。「何割の確率で開戦します」とは言えないんですけど、外から見て分かる限りで言うと、いまウクライナの国境に一〇数万人規模のロシア軍が集まっています。ロシアが持っている地上兵力は陸軍と空挺部隊でありまして、空挺部隊は独立兵科という変な位置付けなんですけど、あと海軍の歩兵部隊がいて、これを一切合切して三五〜三六万人ぐらいになります。だから、数だけで見ると以外とロシアの軍事力って大きくないんですよ。その規模でウクライナ国境に一〇～一〇数万人が集まっているということは、ロシアの持っている地上兵力の五割ぐらいが集まっているということなんです。これだけの規模の地上部隊をウクライナ国境付近に集めるというのを僕は見たことがないですね。訓練でも見たことがない。

従来、毎年秋にロシア軍は大演習をやります。そのときに軍管区から別の軍管区に大規模な兵力が移るような動きがあるんですけど、そのときもおそらくシミュレーションしてるだけで本当に一〇何万人も動かしているわけではないはずです。ですが「やろうと思ったら、やれるだけの兵力が集まりつつある」というのが一つ言えます。

もう一個が、あまり日本では注目されなかったんですけど、二〇二一年七月にプーチン大統領が論文を書いているんですね。プーチン大統領って論文が好きなんですよ。何かの節目のときとか、自分なりに勝負のときに論文を書くんですね。最初は一九九九年にエリツィン大統領の健康状態が悪化して、プーチンに大統領を代行させると宣言したときです。当然、大統領選挙に出る気があるときですけど、そのときに『千年紀のはざまにおけるロシア』という最初の論文を書くんです。

そして、二〇〇八年に一回、プーチン大統領は首相に退くじゃないですか。その後、二〇一二年に大統領に復帰してくるんですが、そのときに二〇一一年秋から二〇一二年初頭にかけて七本も論文を書くんですね。この論文の中で外交から防衛、経済から何から何まで、これから先の二〇一八年までの「俺の任期でこれをやる」みたいな中期計画を出してくるわけです。では、二〇一八年の論文は何なんだというと、よく分からないタイミングなわけですよ。次の大統領選挙は二〇二四年ですし。ただ、おそらくですけど二〇二一年六月に米露首脳会談が開催されてアメリカのバイデン大統領と会った上で「バイデン大統領だったら、いまウクライナを取り返せる」という感覚をプーチン大統領は持ったんじゃないかと思うんですよね。

渡瀬先生とかと話をしてみたいんですけど、二〇二一年六月にスイスのジュネーブでバイデン大統領とプーチン大統領が会談をやったときに、三時間ぐらい予定していたけど、たしか二時間半ぐらいで終わっちゃったんですよね。たぶん話すことがなかったんですよ。おそらく人権問題の話は平行線で「ウクライナをあんまりいじめんなよ」という話も平行線で、唯一話が出来たのは「核軍縮とサイバーでは、お互いに不可侵にしよう」みたいな話だけをしてまとまったと思われます。この会談の結果を持って米露はとりあえずデタントに入った。あんまり激しく争い合わないで共存していくという方向に行ったのではないかと僕は思ったんです。ですが、その翌月にプーチン大統領が書いてきた論文を読んで「これはアカンかもしれん」と思ったわけですよ。それは何なのかというと「ウクライナはロシアと一体である」と論文で主張されていたためです。要するに「ウクライナというのは独立の存在ではないんだ」とプーチン大統領は言っているわけです。「ずっと我々は一緒で独立の存在ではなかった。不可分のものなのだ。なのに、いまのウクライナの政権は西側諸国の手先になっていて、彼らは主権を奪われている」と言うわけです。というかプーチン大統領はウクライナに主権なんか無いと思っているわけです。また、プーチン大統領はドイツにも「主権は無い」と言ったことがありますし、日本に関しても「どこまで主権があるのか疑問だ」と度々言うのですけど、本当に言うんですよ。二〇一八年一二月、モスクワでマスコミ代表者との記者会見で言いました。

だからプーチン大統領は、いわゆる大国、p5（国連常任理事国五カ国）ぐらいの国にだけ主権があって、その他の国にはp5のどれかにくっついて生きていくしかない半主権国家だと思っているのです。その観点でいったら日本なんて完全に半主権国家だと思って馬鹿にしているでしょうし、ウクライナとかの旧ソ連圏のロシア以外の一四の共和国も基本的にそうだと思っている。「ウクライナがロシアになびいていないのは、アメリカのほうに金魚のフンとしてくっついていくんだな」と思うわけですよ。「そっちじゃなくて、こっちのほうに戻ってこい」という世界観でプーチン大統領は考えているし、その論文を出した後から非常にウクライナに対する圧力をかけ始めています。

いまメディアで広く報じられていますけれども、「NATOはこれ以上、東方拡大しないと約束しろ」と圧力をかけている、というところまでやってきた。軍事力も集めている。それから、軍事力を集めて脅しをかけて何をしたいのかというのをハッキリと言うようになってきた。というような事を考えると、今回の件がブラフだという気がどうしてもしない。実際にやるのか、やらないのかというのはプーチン大統領の腹一つですけど。私はかつてなく危険が高まっているということは間違いない、というように思います。

倉山　ありがとうございます。一人早いもの勝ちで小泉先生に質問をしたい方はいらっしゃいますでしょうか。奥山先生、どうぞ。

奥山

ロシアに関しては聞きたいことだらけで、僕が昔聞いた話を確認させていただきたい。おそらくフェイクニュースかもしれません。ロシアは戦略的に相手の出方を見るところがあって、二〇一四年のときに一度、プーチン大統領がやったと言われていることが、ロシア国内の国際関係の偉い先生をクリミア侵攻する前に集めて「アメリカ担当の君、アメリカ専門だろ。もし我々がクリミアやドンパスに入ったらどうなるか教えてくれ」とプーチン大統領が言って、「いまのオバマ政権ならやってこない」と説明されて、「ああ分かった。次、EU担当の君」のように、「ラウンドテーブル」ではないですが、専門家に色々と聞いていって「これはやってもたいしたことにはならないな」と認識してクリミア侵攻に踏み切り、その後に大統領府に呼ばれた人たちがロシアメディアで「あのときにプーチン大統領に話をして反対したけど、やっぱりやってしまった」みたいなことを言っていたのを、どこかの論文か記事かで読んだことがあるのですが、それは本当なのでしょうか？

つまりプーチン大統領は相手の反応をしっかりと見て物事を考えて行動に移す人間なの

かを教えてください。

小泉

「発言の後の自由はあるか」という話になるのですが、いまのロシアは自由にものを言えるんですね。プーチン大統領に関しても詮索をしたい人は出来るし、プーチン大統領も結構オープンに専門家の意見を聞く。プーチン大統領はテクノクラートが好きなんです。彼は一回「私の後継者に選ぶなら若いテクノクラートが良い」みたいなことを言ったことがあって、あんまり我が強い人よりも何か一つの専門分野を真面目にやっている人をリスペクトするところがあります。クリミア侵攻のときに外部の専門家の意見を聞いたのかは、もちろん分かっていなくて。ただ、いかにもありそうな話だなと思いました。アフガニスタンの情勢とかに関しては、ちょくちょくロシアの研究機関にご下問が降ってくるという話を聞いていたので、ウクライナに関してもそうなんじゃないかなと思います。

問題は、そのときのコスト計算が我々と全然違うわけです。普通の日常的な、日本で会社に勤めて経済的な中で生きている感覚と違うのです。「ウクライナはロシアの勢力圏である」という抽象的な価値のために軍隊を送り込んで、これも戦費が掛かるわけですね。さらにアメリカから制裁を食らうわけじゃないですか。アメリカとEUが二〇一四年に発動した第三次経済制裁というのはエネルギー部門に対する投資制限、エネルギー関連の技術供与制限とデュアルユース品（軍用にも民生用にも使える汎用品）の輸出制限などがあって、ロシアは滅茶苦茶困っているんですよ。結局、石油を掘って売って生きている国なので、エネルギー部門にお金が入ってこないと干上がってしまう。それから汎用電子機器とか宇宙電子機器とか、ああいうのが昔からロシア人は苦手なんです。色んなところでロシア人は困っている。困っているんだけど逆にいうと「それさえ我慢出来ればやってもいいでしょ」と考えるんですよ、ロシア人というのは。だから多分、プーチン大統領はクリミア侵攻を決めたときに「アメリカやEUが、どういうオプションを取ってくるのか。軍事オプションなのか、経済制裁なのか」と考えて、「まあ、経済制裁なら我慢出来るでしょ」と思ったのだと思います。

実際にロシアは、アメリカや中国みたいな超大国と比べると力は劣るわけですけど、一応全科目六〇点ぐらいは取れる国ではあるんですね。乗り心地は別として自動車は作れる。世界最高かは別として第五世代戦闘機を作れる。食料は自給出来る。エネルギーは売るほど取れる、という国なので世界中を全部敵にまわしても、ちょっと我慢すれば生きていけてしまう国ではあるわけです。そういうロシアのコスト計算とプーチン大統領を取り巻いている元ＫＧＢ（ソ連国家保安委員会）の人たちの世界観ですよね。「ロシアはデルジャーヴァ（大国）でなければならぬ」という世界観を、我々の感覚だけで理解して「これはありそう。これはなさそう」と考えると大幅に間違うと思いますし、八年前（二〇一四年）のクリミア侵攻のときは、僕はそれで完全に外したんです。「まさか軍事介入しないだろう」と思っていたら見事にした。

《会場で配布されたパンフレットに掲載された地図》

厳選する重要な戦略地域……「黒海」「南シナ海」

倉山　小泉先生、ありがとうございます。

それでは、会場の皆様がお手持ちのパンフレットの裏に各先生がそれぞれ二カ所ずつ「厳選する重要な戦略地域」という印をつけています。一人反則している方がいらっしゃいますけど、その方は後回しにさせていただくとして。まず、西側のところに印を置いていらっしゃるのが小泉先生と奥山先生ですので、小泉先生、ここはウクライナで宜しいでしょうか？

小泉

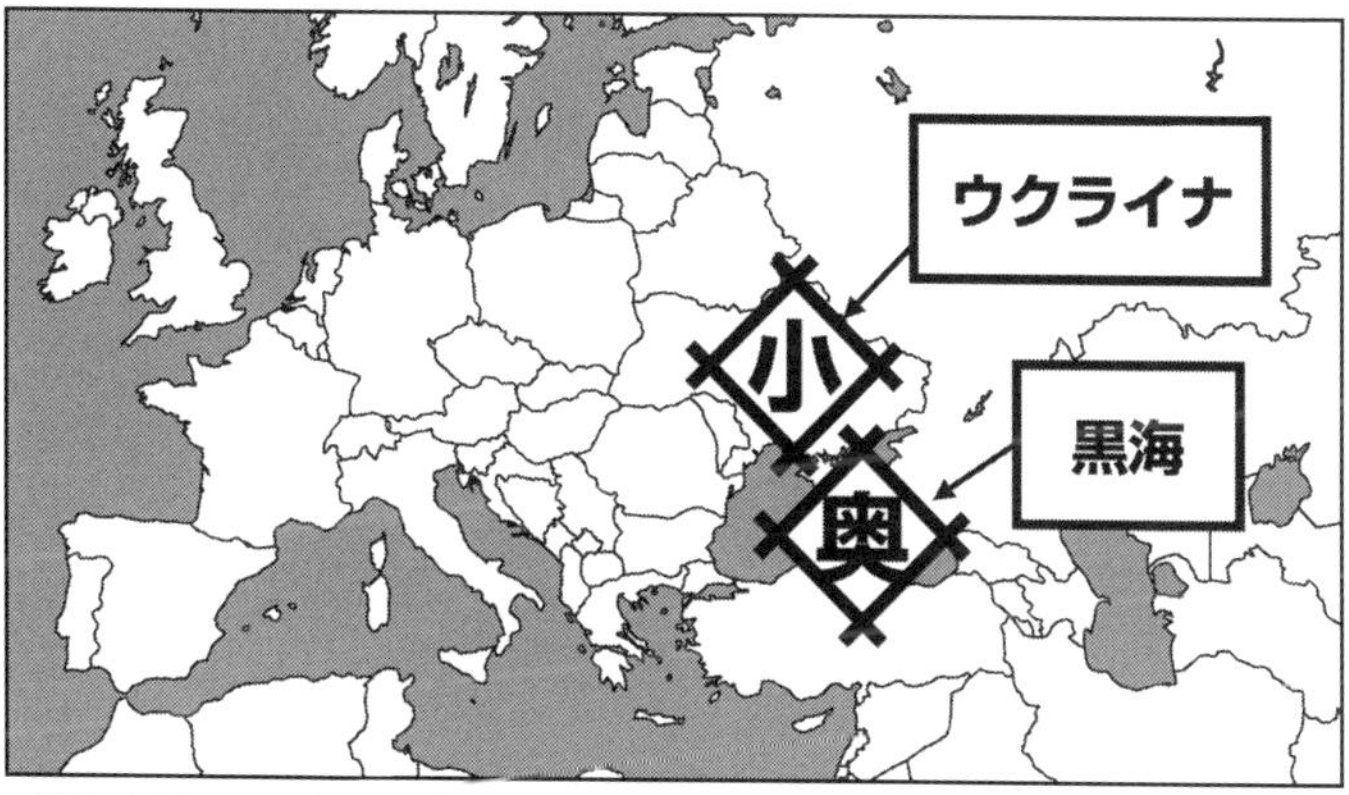

《戦略的重要地域「ウクライナ」「黒海」》

ウクライナは、いまお話した通りです。奥山先生がすぐ近くに印を置いているので。

倉山

分かりました。では奥山先生、この印の位置は？

奥山

黒海ですね。何故ここに印をしたかと言うと、ここにもアメリカ軍の艦船が入っているという意味で、一応係争地というか、西側諸国とロシアの最前線、特に海という場面で「ここが最前線になっているよね」という認識で、ここに印をさせていただきました。以上です。

小泉

黒海というと、二〇二一年にイギリスの駆逐艦がここに入ってきてロシアは嫌がらせ行為を行ったりしています。もう一つ、黒海というのはトルコに面しているじゃないですか。トルコが意外とユーラシア大陸のキープレーヤーになりつつありますよね。中東から北アフリカまで手を伸ばしてきて、二〇二〇年のナゴルノ・カラバフ紛争では、あからさまにトルコがアゼルバイジャンに肩入れをしており、旧ソ連圏地域がトルコの介入で形勢が大きく変わるということが初めて起きたわけです。アルメニアはボロ負けした。いまは西側陣営の中でちょっと変わった人という扱いなんですけど、どこまでトルコが自立的なプレーヤーになっていって、ロシアが言うところの「デルジャーヴァ（大国）」になっていくのかというのは、これからの大きい注目点だなと思いました。

倉山　続けて奥山先生、もう一つの印は「南シナ海」ですかね。

奥山　これは部谷先生と同じだと思うのですけど、東アジアの海側というところでの係争地。

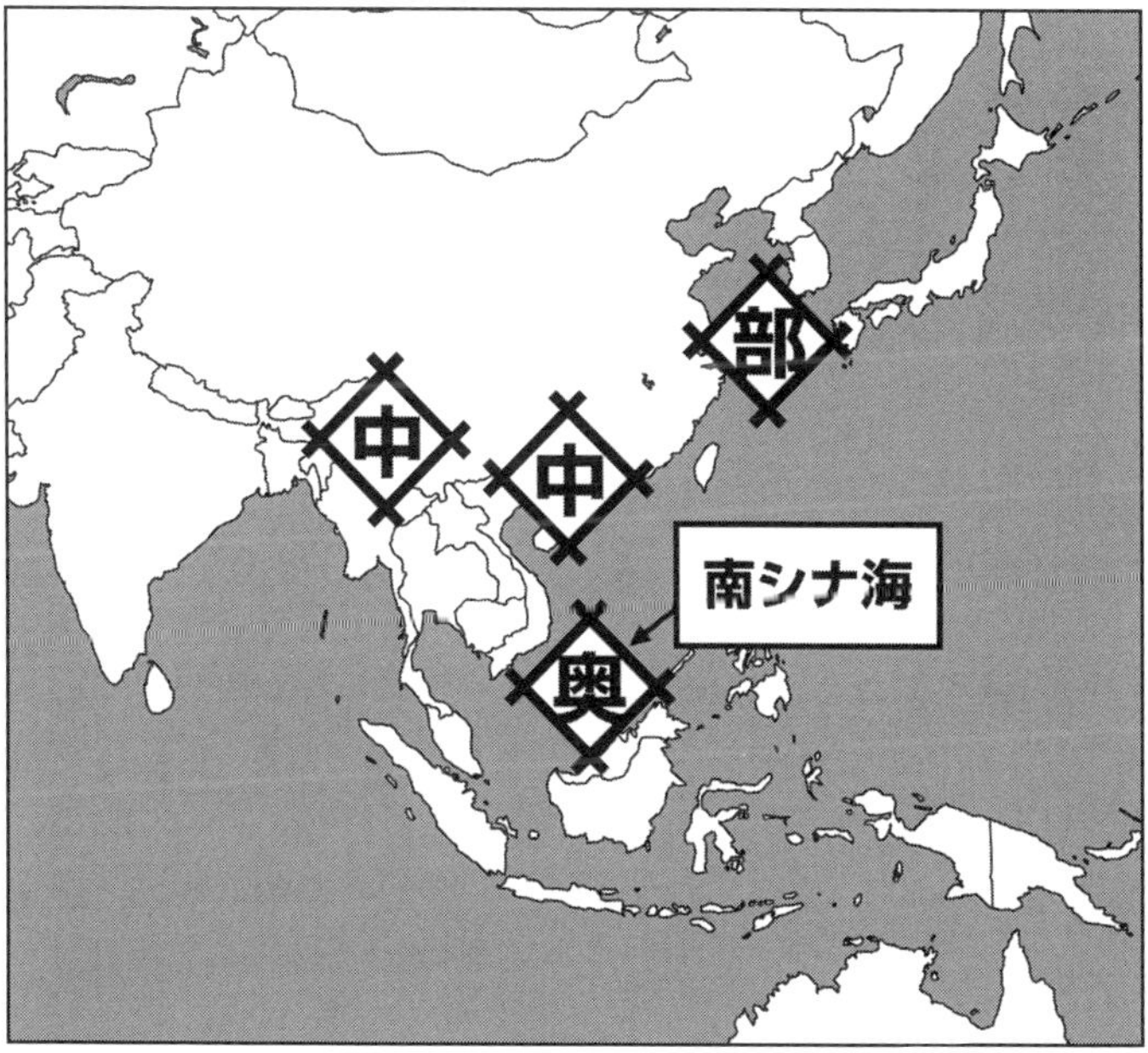

《戦略的重要地域「南シナ海」》

より大きな視点で言えば地政学者のニコラス・スパイクマンの「アジアの地中海」という概念がございまして、台湾からシンガポール、あとはオーストラリアのダーウィンですね。この辺りの三角形の海域、ここはヨーロッパの地中海とかカリブ海などと相似形となる海域だと言われているのですが、インドネシアも含むこの地帯ですね。この辺が一応「アジアの地中海」という意味でユーラシア大陸の外側にある、島国がいっぱいある海域という意味で、東シナ海、南シナ海も含めてここにあえて印を置かせていただきました。

倉山　部谷先生も近いところに印がありますね。

部谷　そうですね、私も同じで、私はどっちかというと東シナ海ですね。中国の学者さんが「東亜地中海」というふうに言ってるんですが、私は昔から「日本のどこが海洋国家なんだ」とずっと言っているんですよ。歴史学者である石津明之先生なんかはもっと前からおっしゃっていますけれども。やっぱり利益が錯綜する『内海』だと思うのですよ。紀元前のギリシャ・ペルシア戦争の時代から利益が錯綜する内海は色々あって。いま物凄い勢いで中国が台湾や日本に対して消耗戦を仕掛けているという意味で注目したほうがいいんじゃないかと思いました。

倉山

奥山先生、この場合の「地中海」というのはヨーロッパの固有名詞ではない一般名詞の、例えば瀬戸内海も陸に囲まれている海なので「地中海」と言える、という理解でよろしいですか。

奥山　そうです。そういうことです。

倉山　それが中国を巡る「重要な戦略地域」であって、いま部谷先生が「利益が錯綜する内海である」ということですね。

奥山　そうですね。

倉山

「地中海」というのは地政学の用語ですね。

では、中国南部に印を二カ所置かれています。中川先生、これがどこなのか、お願いします。

厳選する重要な戦略地域
：「瑞麗市」「広東・香港・マカオ、グレーターベイエリア」

中川　自分で他の先生に振ったものの、二つの「重要な戦略地域」をセレクトするのが、だいぶ大変で自分の首を絞めてしまった状況です（苦笑い）。まずは、あえてですね、ここでセレクトした二地域以外のことを言うと、チャイナの東西両方が重要地域です。チャイナにとって大事な地域。「両岸問題」と呼ばれる台湾海峡問題はチャイナ国外でも当然認識されていますし、西に行けばアフガニスタンとちょっとつながったところ、新疆ウイグル自治区だったりとか。チャイナの西側辺縁は一帯一路でいうとカザフスタンにつながっていたりとか、重要な貿易ルートになっています。パイプラインに関してパキスタンとの重

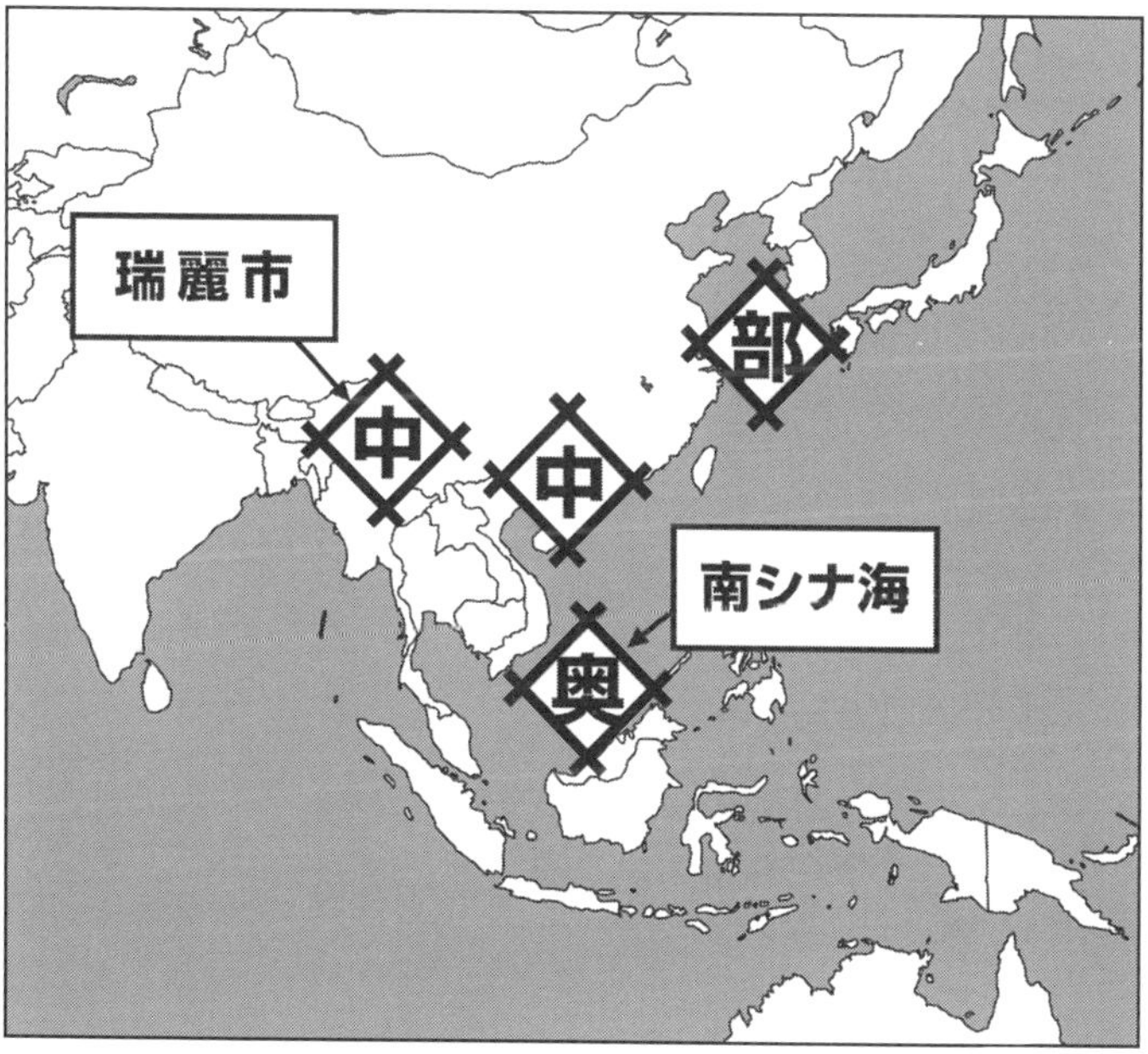

《戦略的重要地域「端麗市」》

要な接合点でもあります。中国パキスタン経済回廊計画（CPEC）と呼ばれる両国の複合的なインフフ協調建設が進んでいます。そういった東西の方向に重点地域があるんですけど、これだとですね、当たり前すぎて、せっかく今日会場に来ていただいたのに「つまんなかろう」ということであえて外しました。

まずですね西の方に書いてある印ですが、会場の皆さんはこの印を見ても「何だ、どこだろう?」と思われるでしょう。イメージのつく人はほとんどいないと思うのですけれども…いたら凄いと思います。これは雲南省の徳宏タイ族チンポー族自治州に位置する瑞麗市《ずいれいし》という所なんですね。これを挙げるのは中々レアだと思うのです。何でここを挙げたのか。タイ族チンポー族という少数民族がいるんですね。漢字も当て字があるんですけど日本語だとカタカナで言われています。瑞麗市は人口一〇万人ちょっとの小さなところなんですが、何で重要かというとミャンマーからつながる鉄道を作れるところで、これが出口になっているんですね。

鉄道が出来ると何が起きるのかというと、ミャンマーのチャオピュー湾というところが近年港湾整備されていますが、インド洋に面した要所の直接的権益をチャイナが取るような形になるのです。瑞麗市から鉄道で走って海に抜けることが出来ます。チャイナはずっとチャオピュー湾に直接アクセスできるインフラと権益を確保することを画策していました。経済的なところでミャンマーに投資を行なうということをずっとやってきて、チャオピュー湾の港湾施設開発と鉄路建設の権益に関して交渉力を確保することに腐心していました。この鉄道を通すというのは経済交易といった側面もありますが、当然、軍事的なところも長期的に見据えた上の国家戦略です。公には経済交流であると言っていますけれども。ここさえ抜けてしまえば、ある意味ではチャイナが直接、南方へと抜けるルートがスッと出来る。ということで非常に重視してきた中で、日本側からちょっかいを出されて一時的に頓挫した云々や、ミャンマー内の少数民族問題といった経緯がありつつも、建設交渉を着実にすすめています。

徳宏タイ族チンポー族自治州に位置する瑞麗市というところで非常にマニアックなチョイスなんですけど、奥山先生のおっしゃっている地政学的と言ってよいのか分からないのですが、いずれにせよ、軍事的にも経済的にも非常に重要になるポイントがここになってきます。

もう一つ、その東側にあるのが、これもあえて台湾とかを外しているところでマニアックなんですけども重点地域です。これは軍事的というよりも経済的に重要なポイントで「広東・香港・マカオ、グレーターベイエリア」という構想がある地域を指しています。

改革開放で深圳がテクノロジーイノベーションセンターになったのはご存じだと思います。そして広州、ここはずっと生産拠点と貿易港として栄えてきた。近年になっても栄え

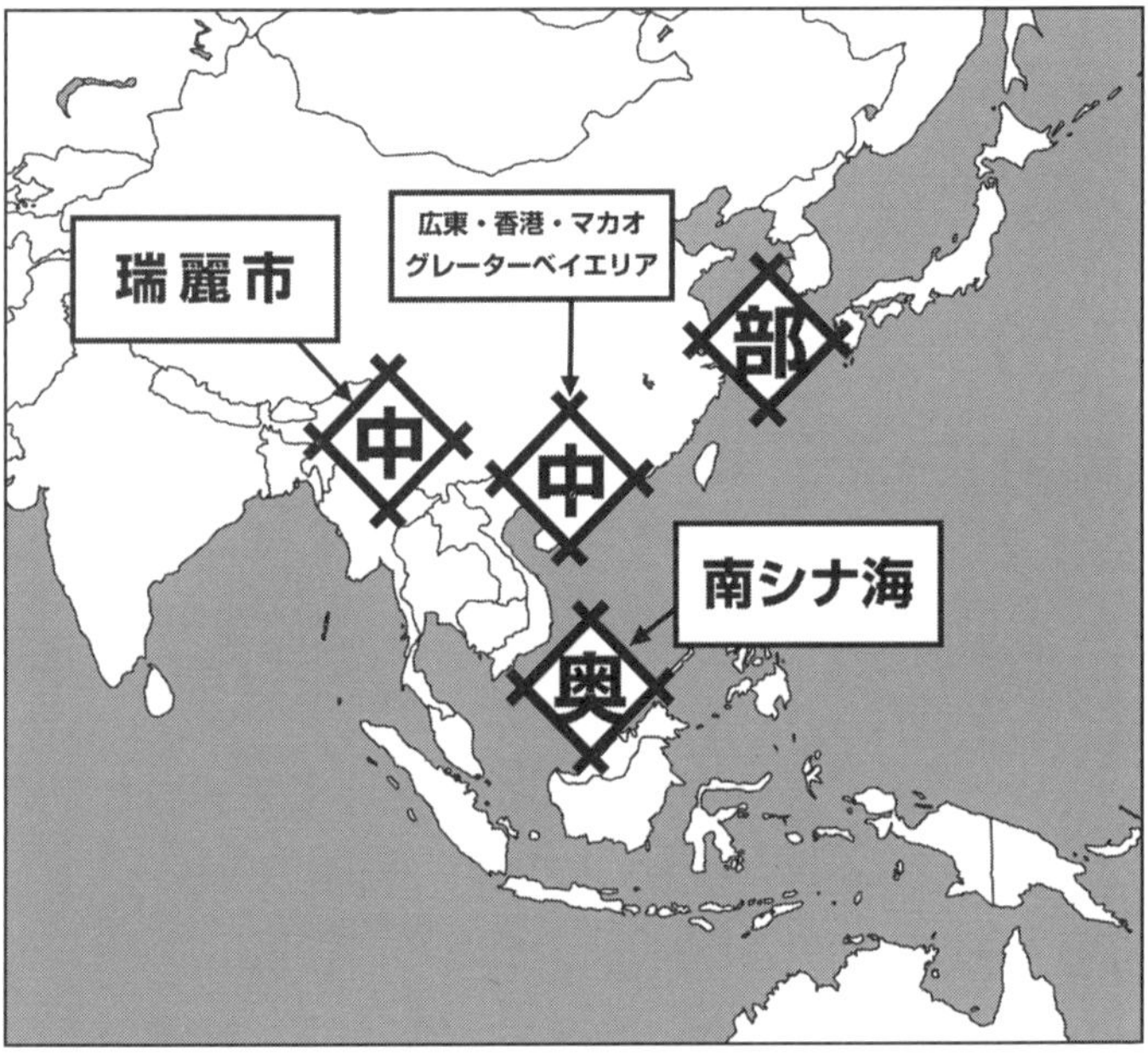

《戦略的重要地域「広東・香港・マカオ、グレーターベイエリア」》

ていて、北京、上海に続いて経済成長率が三位から四位を誇ります。それから、ご存じのように香港は金融ハブとして動いているので、技術や金融、それから国際的な物流拠点の貿易港であったり、あらゆる意味で産業の要となっています。これらが分散して発展していたわけですが、香港、マカオ、深圳、広州などを一括で一つの産業クラスターにしようという構想が「ベイエリア構想」になります。

GDPでいうと日本の首都圏の年間GDPは約一八〇兆円と言われていて、近年は、そんなに伸びてはいない。首都圏の経済成長率の伸びは横ばいなんですけど、グレーターベイエリアの経済成長率は年間一〇%~二〇%ぐらい伸びています。このままの首都圏とグレーターベイエリアの成長割合で考えますと、さらに今後、両者の規模に差がついてくる可能性があります。首都圏のGDPが約一八〇兆円、グレーターベイエリアのGDPが一九〇兆円を超えたくらいで、人口規模でいうと首都圏は約四四〇〇万人、グレーターベイエリアは一億二〇〇〇万人ということで首都圏よりも多いわけです。いずれにしても両方とも世界の中でトップクラスの産業クラスターです。グレーターベイエリアは、首都圏を超える規模になったところまでやってきています。習近平指導部約一〇年目にしてついに日本の首都圏のGDPを超えてきました。両者がお互い独立的に成長していれば問題ないということでもないです。産業は競合し、互いにアジアの都市産業クラスターとして競争関係にあれば、どちらかが廃れるという領域も出てくるはずです。

政治イデオロギーを輸出する外交は反発を受けるし、軍事的なところではパワーバランスが膠着状態に陥ることが多いので派手にやれるわけではない。チャイナの軍事的な消極性は特に中越戦争での失敗の教訓というところは大きいです。もちろん国内向け、対人民解放軍内部向け、外交向けの勇ましいプロパガンダは頻繁にやりますが。軍事的な拠点ではなく、経済的な拠点（とそれによるチャイナ全体の経済繁栄）こそが世界覇権をとるために重要な手段と認識されています。そのようなわけで、チャイナは徹底的に経済的な外交を重視しています。そうした世界覇権奪取の戦略上、グレーターベイエリアというのは極めて重要な、世界覇権のためのエンジンコアになっていくと考えられています。こうした前提で、重要地域として挙げさせていただきました。

グレーターベイエリアがドカーンと潰れてしまうとチャイナはキツイと思います。日本でいえば首都圏の経済が潰れるようなものです。グレーターベイエリア以外にもチャイナは経済圏コアを持っていますけれども、ここは成長性が群を抜いています。アジア最大の産業クラスターとして競争関係にある日本の立場としてはグレーターベイエリアを今後注目しておくと良いです。グレーターベイエリアは、いまのところ首都圏経済と同じぐらいの規模で、今後さらに伸びる可能性がありますよ、と頭に入れておくと良いんじゃないかなと思います。

倉山　はい。それでは太平洋を渡って渡瀬先生。アメリカ合衆国に二カ所、印をつけていますが、西でも東でもどちらからでもどうぞ。

厳選する重要な戦略地域…「ラストベルト」「アリゾナ州」

渡瀬　まずですね。アメリカ合衆国に印を二カ所ということなんですけど、補足的に説明するとアメリカには三つのプレーヤーがいるんですね。その三つのプレーヤーは共和党と民主党と米軍になります。

各先生方が挙げられた地域、例えば「南シナ海」や「東シナ海」のエリアとかには、アメリカの原子力空母がいます。ハワイやアメリカの東海岸にもいるので、それらを米軍は戦略的重要拠点であると思っている。配置しているのはそういう意味です。逆に中東にはいないんです。ということで「アメリカの軍事的拠点として重要なのはここだ」というように米軍は考えていると思っていいいんじゃないかと思います。ですが、なぜあえてアメリカ国内の二カ所に印をつけたのかというと、中国やロシアと比べてアメリカは選挙による政権交代が起きているわけです。アメリカという国はジキルとハイドみたいなもので、二重人格の国なんです。政権が代わると米軍の行動はそんなに変わらないのだけれども、アメリカ全体の国際的な戦略などは共和党と民主党でガラッと変わる、というような状況にあります。

それは何故なのかというと、いまのアメリカの選挙の状況では、共和党と民主党のどちらかが上院の一〇〇議席中六〇議席を取ることはほとんどないのです。どうしても拮抗するようになっていて、どちらかが五〇数議席で、片方が四〇数議席みたいな形にはならない。アメリカの場合、外国との条約を締結するためには議会を通過させるときに賛成票を六〇票取らなければいけないのですが、それは難しい状況です。では、アメリカという国は外交的な、もしくは安全保障上の条約を締結するという意思決定をどのようにしているかというと、大統領の一存で決めるという話になっているのです。「行政協定」という形で、議会がそんなにオーソライズしないで決めるという形になっているのです。

例えば、共和党のトランプ政権のときを思い出してほしいのですが、トランプ政権発足後、初っ端に「ＴＰＰ（環太平洋パートナーシップ協定）からアメリカ抜けるわ」という話をしましたよね。その後に「パリ協定もやめます」という話になり、なおかつ、イランの核合意も離脱しました。そんな重要な判断を大統領の一存で出来てしまうわけです。

その後、民主党のバイデン政権になり、バイデン大統領は「アメリカは、パリ協定に復帰するわ」という話をしています。ＴＰＰにアメリカが復帰するというのは、地図でいうと右側の印が「ラストベルト」なんですけど、そのラストベルトの有権者の都合で言えないわけなんです。

ＷＨＯから離脱するか否かという話と同じなのですが、そのような重要な外交的意思決定を大統領の一存で出来るようになっているのです。議会の力が拮抗していて、大統領に対する議会のグリップが効かなくなっているためです。

という形で、アメリカというのは完全に二重人格の国であり、政権が代わると意思決定が変わる国であるというのが、いまの状況です。

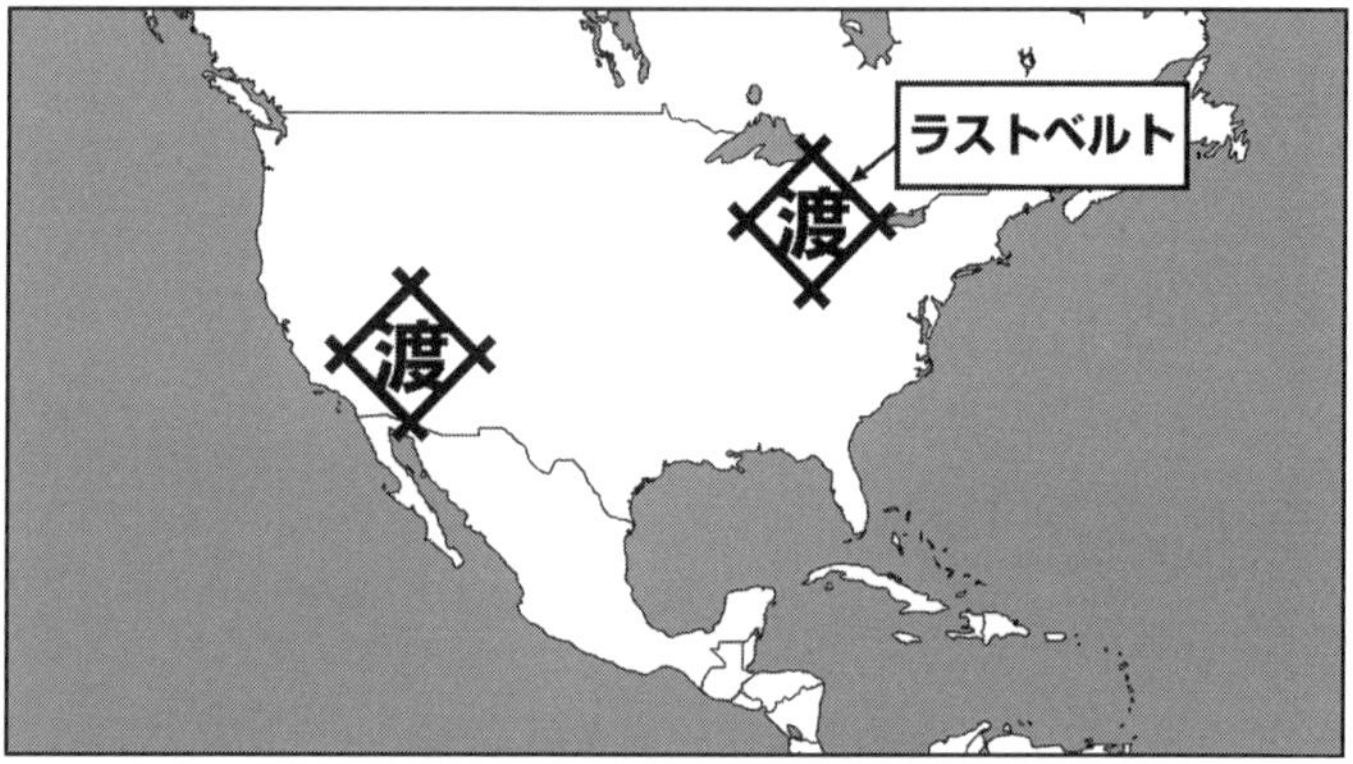

《戦略的重要地域「ラストベルト」》

では、その意志決定はどのように変わるのかというお話なんですが、それがこの地図の二つの地域によって決まっているということです。

二〇二二年一一月に中間選挙がアメリカで開催されます。大統領選挙が終わった二年後に議会だけの選挙をやるのです。上院の三分の一と下院の全議席の選挙をやるのですが、上院の選挙がある場所がパンフレットに印をつけた二カ所なのです。いま何が選挙争点になっているのかというと、まず左側の印は「アリゾナ州」の辺りになります。

アリゾナ州やネバダ州などは、簡単にいうと不法移民がどんどん南部から入ってくることに対して、どうやって対応すればよいのか、というのが大きな

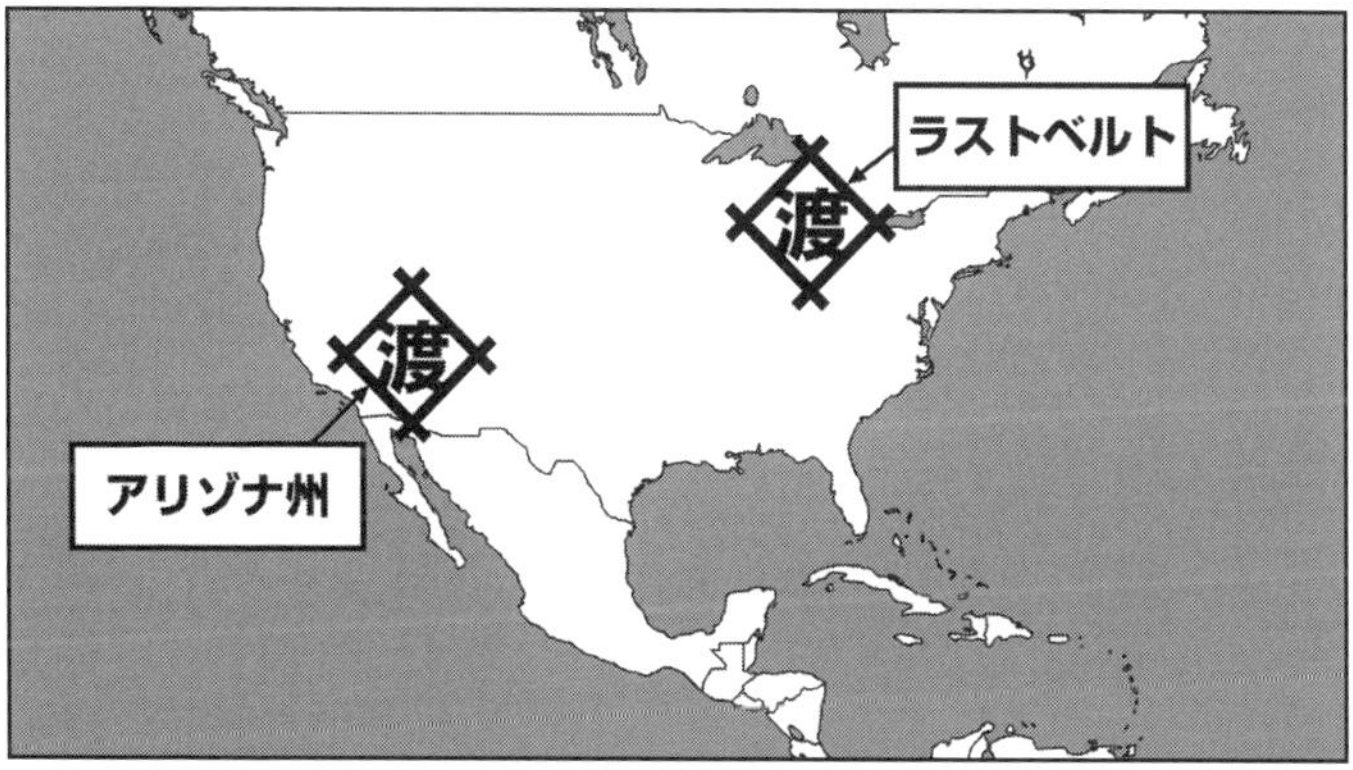

《戦略的重要地域「アリゾナ州」》

争点の一つになっています。そこで共和党と民主党の最大の違いが表れます。アイデンティティの違いと言ってもいいぐらいです。

共和党というのは自分の国が特別なので「合衆国憲法に忠誠を誓う人が入ってくるなら構わない。合法的ならいいが不法移民という形で入ってくることは許しません」というのが、共和党のスタイルです。

民主党の場合は「人権は大事ですよね」ということで、民主主義的な普遍性、人権的な普遍性を世界に求めるのですが、自分の国にもやってしまうのです。だから不法移民が入ってきても「不法移民の人権を守らなければ」みたいな話になるわけです。そこが決定的な共和党と民主党の価値観の違いです。

そこで政権の性格というのがアメリカの内部の話なんですけどハッキリ分かるわけです。バイデン政権は民主党側ですけど、例えば「ヨーロッパ諸国は民主主義国家であり、ロシアは腐敗や汚職とかを色んなところにばら撒く権威主義体制だから許しません。中国に対しても新疆ウイグル自治区などの強制労働はアウシュヴィッツと同じ様に見えるので人権的に問題があるよね」という話を民主党はやるわけです。中東地域のサウジアラビアなどに対しては、トルコにあるサウジアラビア大使館内でカショギという記者が殺害された事件などがあったため、「サウジアラビアは許せない。イランのほうが選挙をやっているのでマシだ」という感覚に民主党側はなっています。

共和党側の感覚だと自分の国、アメリカ合衆国だけが特別なのです。自由と民主主義の憲法を持っていて、それに忠誠を誓う人が特別で「俺についてこれる奴はついてこい」という感じです。他の人にあまり強要はしないですね。なので、先ほどのサウジアラビアに対しては、「イランは悪の帝国だから、イランと戦ってくれるサウジアラビアの人たちは、ちょっと民主主義とか分かっていないかも知れないけれども、まあいいか」みたいな話になるわけです。共和党の人たちのイメージとしては、お互いに酒を飲んで敵が同じだったら「お前は俺とちょっと違うけど、俺の味方」という感じでいけるのです。でも、民主党の人たちは「あなたが味方かどうかは全部書面で証明してもらっていいですか」という感じです。そこのところの違いというのが、アメリカ南部の国境地帯の不法移民問題に対する価値観の差みたいなところで表れていて、その差が全世界にも出てきてしまうわけです。

では、右側の印の「ラストベルト」は何かというと、ラストベルトは昔、工業地帯であったところです。フォーラムの前日、一月二一日にインテルが半導体の工場を新設するという話があったばかりなのですが、このエリアはシェールガスとかシェールオイル、石炭などが採掘できる場所なんです。シェールガスやシェールオイル産業は共和党の支持基盤であるため「ガンガン採掘していいよ」という話を共和党の人たちはするわけです。そうするとアメリカはエネルギーを自給できるので、共和党にとって中東地域はどうでもよくなります。トランプ政権の時代にアメリカはエネルギー輸出国になりました。

ですが民主党のバイデン政権は、シェールガスやシェールオイルの新規採掘を禁止や制限をするという話をしています。そうすると中東地域から手を引くことが出来なくなるわけです。アメリカ単独でエネルギーの自給が出来なくなるので中東から手を引けず、中国に外交上、安全保障上のエネルギーを割きたくても出来ないのです。バイデン大統領のやろうとしていることは、極めて中途半端な外交政策になってしまうということです。「気候変動対策が大事だ」と言いながら、アメリカのシェールガスやシェールオイル産業に対して「既存の採掘に関しては、いまのところ勘弁してやるよ」というスタイルであったり、アメリカ経済はインフレ状態なので中国からの輸入品でどうでもいいローテクの製品に対する関税を解除するべきなのに、二〇二二年の中間選挙の選挙区がラストベルトにもあるため、ラストベルトの有権者が反対する関税解除が出来ないのです。

このような自国の都合が国際政治にも反映してしまいます。本当だったらバイデン政権はTPPに復帰しないといけないはずなんですよ。でも「TPP」という言葉はラストベルトの有権者には禁句なんです。絶対に言ってはいけない言葉です。だから、バイデン政権はTPPに復帰出来ずに「東南アジアも含めた新しい経済枠組みを示す」と言って何も示せていない状況です。

アメリカは、極めて国内政治に振り回されているということと、共和党と民主党で政権が交代すると、言うことがガラッと変わってしまう「ジキルとハイドの国である」ということを皆さんにお話したくてしました。ただ、最初に申し上げた通りに米軍はそんなことは関係なく、戦争をやると自分たちが死んでしまうわけですから、米軍の配置はある程度、合理的に行われるわけです。ですが、配置された米軍を使う人たちが二重人格であるということを今回お伝えしたいと思ってお話しました。

倉山

ありがとうございます。じつは「バイデン大統領は大丈夫？」という質問も用意していたのですが、ここまで聞けば答えは明らかかな、という不安しかないですね。

次は、部谷先生、宜しくお願いします。

厳選する重要な戦略地域…「東シナ海」「Cyberspace」

部谷

そうですね。先ほど少しお話した「東シナ海」の補足をしながらいきたいのですが、何故いま「東シナ海」が問題なのかというと、消耗戦が起きているためです。

消耗戦の中身がどれぐらいヤバいのかを補足すると、台湾が非常に疲弊をしているのです。中国から何百機も領空に侵入されていて、二〇二二年一月一一日には訓練中の台湾軍のF16が墜落するなど事故も多くなっています。

この前、出張で沖縄に行ったときの話ですが、沖縄に着いたらF15が飛んでいくのを見れて「F15が飛んでいく。わーい！」とミリオタなんで思ったわけです。その後、ご飯を食べていたら「あっ、また飛んでいく、凄いでごわす」という感じで、一緒にいた友達に「一時間に二機も飛んでいったけど大丈夫?」と聞いたのですが、「ひどいときはもっと飛んでいるよ」と言われました。いま公に発表されているだけでも、中国の無人機は何回も飛んできていて、無人機に対して自衛隊は何年も前から有人機で対応しています。台湾も同じ状況です。


英国の王立国際問題研究所のレポートでは「中国は無人機を投入することで消耗戦がより楽になる」と言っています。これがどれだけヤバイのかというと、アメリカの国防総省のサイトを見ると戦闘機が一時間あたりに飛行するコストが公開されているのです。一時

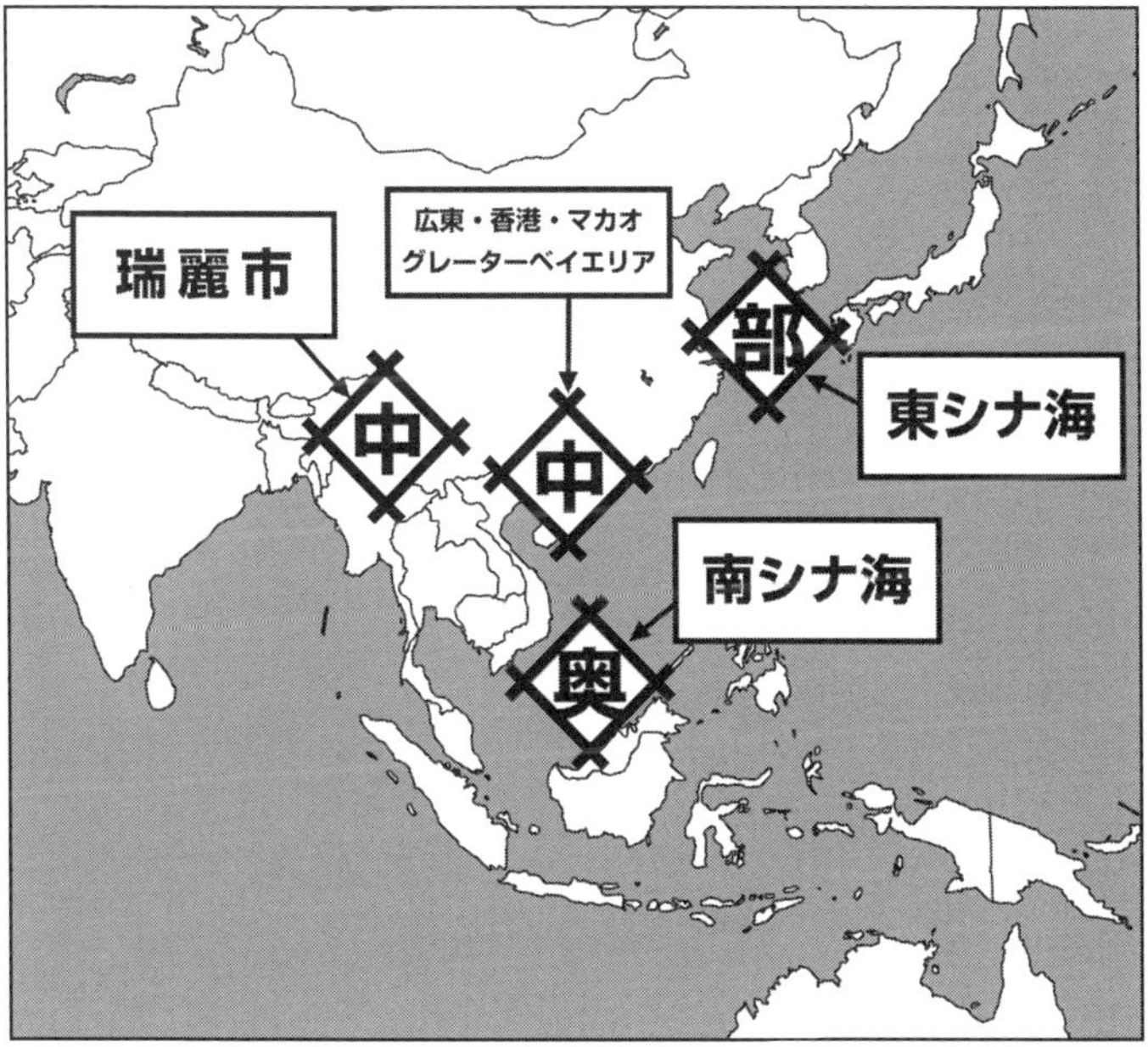

《戦略的重要地域「東シナ海」》

間あたりの燃料費、整備費、パイロットなどのコストをまとめると、Ｆ16の場合、一時間で一二〇万円かかります。Ｆ15は二五〇万円ぐらいで、Ｆ35は安くて一五〇万円ほどです。ドローンの一時間あたりのコストに関しては米軍がデータを出していて、中国軍が東シナ海に飛ばしてきているドローンの場合、なんと一時間あたりのコストは七万円です。つまり自衛隊の現状はドローン一機の領空侵犯に対してＦ15を二機出動させているので、一時間あたり七万円のドローン一機への対応で五〇〇万円を使っているわけです。これだけ国力差がありながら馬鹿馬鹿しいことが起きているわけです。

消耗戦のヤバイところをお話させていただいたところで、もう一つ「サイバー空間と物理空間が近づいている」という話をしていくのですけど、ＩＴの専門家の人たちも「サイバー空間とフィジカル（現実空間）がくっつき始めている」と話しています。これはたぶん、軍事的にも同じなんです。

ドローンの意義を考えたときに「ドローンはラジコンだ。玩具だ」という人もいるのですけど、ドローンはラジコンとは違うから日本企業は作れなかったのです。ドローンは「空飛ぶスマートフォン」と呼ばれているのです。ＧＰＳによるセンサーが付いていてコンピューターで自動制御して飛びます。ドローンを飛ばしたら分かるのですけど、簡単に飛ぶんですよ。実際に中国のＤＪＩという世界最大のシェアを誇るドローンメーカーを作った社長さんは、ラジコンを飛ばそうとして飛ばせなくて「自動的に飛ぶラジコンを作ってやる」と言ってＤＪＩを作ったのであり、ドローンというのは「スマートフォン」だと言われているのです。パイロットではなくスマートフォンにプロペラが付いたと言われ

部 Cyberspace

《戦略的重要地域「Cyberspace」》

ているのですけど、これを言い出した、クリス・アンダーソンさんというアメリカの技術雑誌『WIRED』の元編集長が「ドローンというのはサイバー空間が初めて手に入れたセンサーだ」と面白いことを言っているのです。

今までのサイバー空間というのは、インターネットにおいてはCookie（クッキー）などにより、ホームページにアクセスしたときに、どこからアクセスしたのか、何を検索したのかということしか分かりませんでした。それが、ドローンによってサイバー空間は初めて物理空間と具体的な窓口を手に入れたということです。サイバー的な空間を通じて現実に影響を与える本格的な物の一つがドローンです。

もう一つが「３Ｄプリンタ」です。３Ｄプリンタの専門家と議論をしたことがあって「3Dプリンタは何で出来たんですか？」と質問をしました。3Dプリンタの原理的な部分は、八〇年代に日本人が作っていたことを聞いたところ「問題はパソコンだ」と専門家の先生は言うのです。「原理的には可能だが、印刷をするにはスーパーコンピューターがないと駄目だった」ということです。それがいまでは、皆さんが持っているパソコンの性能が上がってきたため、自由自在にパソコン上でデザインを作って3Dプリンタで印刷出来るようになっています。3Dプリンタは何かというと、ネットでつながり、色々なデザインを送り、編集をしたりして、遠く離れた場所にいながらでも色々な物を制作出来るわけです。これもまた、サイバー空間が現実に転移した窓口ではないかと思います。

もう一つが「サイバー攻撃」です。最近、発電所を止めたり、サイバー攻撃で致命的なことも出来るというのが分かるようになってきています。そういう意味で戦略的重要地域として、サイバー空間と現実空間の距離がどんどん一体化してきている。VR（仮想現実）とかAR（拡張現実）とかもそうですが、サイバーと現実の違いというのが、段々と重なるところが増えてきている。それが今後の戦争、世論操作とかもそうですよね。フェイクニュースとかも、サイバー空間が現実を動かしたわけです。

そういう意味でサイバー空間と現実空間がどんどんくっついていく、というのが今の重要問題であり、今後見ていくほうが良い戦略空間ではないかと思います。

倉山

部谷先生、ありがとうございます。最後に小泉先生、この印はカムチャッカ半島ですかね。

「ノウアスフィア」の概念とロシアのサイバー攻撃

小泉

ありがとうございます。カムチャッカ半島の話をする前に、部谷先生のお話は凄い面白いなと思いながら聞いていました。パンフレットに掲載されている世界地図を見てみると、一〇年前に同じように「重要な戦略地域に印を付けてくれ」と言われたら、印が付く場所が全然違ったんじゃないかなと思います。あるいは、「一人につき三か所まで印を置いていいよ」と言われたら、アフガニスタンとか中東とか、かつてはアメリカが「危機の弧」と呼んだような、古典的な冷戦後の紛争地帯にもっと注目が集まったのではないかと思うのですよ。アフリカとかも我々まったく印を付けていなくて、旧ソ連圏の欧州方面と東アジア正面、そしてアメリカ国内に印が付いている。

これはなかなか大きな時代の変遷だと思いますし、その中で部谷先生が物理的な、地理的な印を付けられないというのは新しいと思います。もしかしたら部谷先生はもう一個印を付けれたら、「空岸《くうがん》」みたいな、いわゆる空域の中で利用されていなかった場所にも印を置いたのではないかなと思うのです。というように、安全保障環境が相当変わりつつある時代に我々は生きているのだろうと考えました。

そして部谷先生がお話された、サイバー空間と現実空間が接近してきて、その破壊力が非常に大きくなるという話に関してですが、戦前のソ連の思想家にウラジミール・ヴェルナツキーという人がいて「ノウアスフィア」という概念を唱えています。

「人間の作り出した知識とか情報が、もう一つの新しい世界を作り出す」「物理原則で動いている〈生物圏〉とは違う〈人知圏〉という物を作ったのだ」と。生物圏を「バイオスフィア」と呼び、人知圏が「ノウアスフィア」です。結構オカルトっぽい概念の話なのですが、ロシアの情報戦理論家たち、イゴール・パナリンなどは「ノウアスフィア」の議論が好きなんです。現代の我々は「ノウアスフィア」に生きている、特に九〇年代以降のインターネットの普及によって「ノウアスフィア」が実現したという考えが強まっているわけです。「現実世界の爆弾のように強制力を発揮する闘争手段が〈ノウアスフィア〉にもあるはずだ」みたいな、割と哲学的なところからロシアのサイバー戦理論とか認知戦理論は始まっています。そこから、サイバー攻撃は手段としては非暴力的なんですけど、その結果は破壊的、暴力的なものになりうる、というところに彼らの理論は行き着いていくわけです。

その理論の基にロシアは、二〇一五年と二〇一六年にウクライナに対して電力グリッドを実際に落としてしまうようなサイバー攻撃であるとか、二〇一六年のアメリカ大統領選挙のときのサイバー攻撃による内政を不安定化させる情報攻撃がなされていると思います。ですので、重要な戦略地域として「Cyberspace」に印を付けているのは本当に正しい。全くもってその通りだと思います。たぶん、地図上にプロット出来ない戦略的重要ポイントというのは、きっと今後、もっともっと増えていく感じを持ちました。

厳選する重要な戦略地域…「カムチャッカ半島」

小泉　他方で私が「カムチャッカ半島」に印を置いたのは、もっと泥臭い話で、核抑止の話になります。

ロシアはアメリカとほぼ対等な戦略核戦力を持っていますし、戦術核戦力ではアメリカを遥かに凌ぐだろうと言われています。戦術核のカウント方法は難しくて、ロシアの戦術核の保有数は「千発以下〜二千発程度」と言われていますが、いずれにしても世界的な核大国であることは間違いありません。大陸国家ですのでメインはＩＣＢＭ（大陸間弾道ミサイル）です。ロシアの西のほうからバイカル湖の辺りにかけてロケット師団がいます。地上核なので先制攻撃でやられる可能性があるため、アメリカと同じように潜水艦にミサイルを積んで、あちこちをパトロールさせています。ただ、アメリカの場合は世界中の海にＳＳＢＮ（弾道ミサイル原潜）をパトロールさせていますが、ロシアはバレンツ海やオ

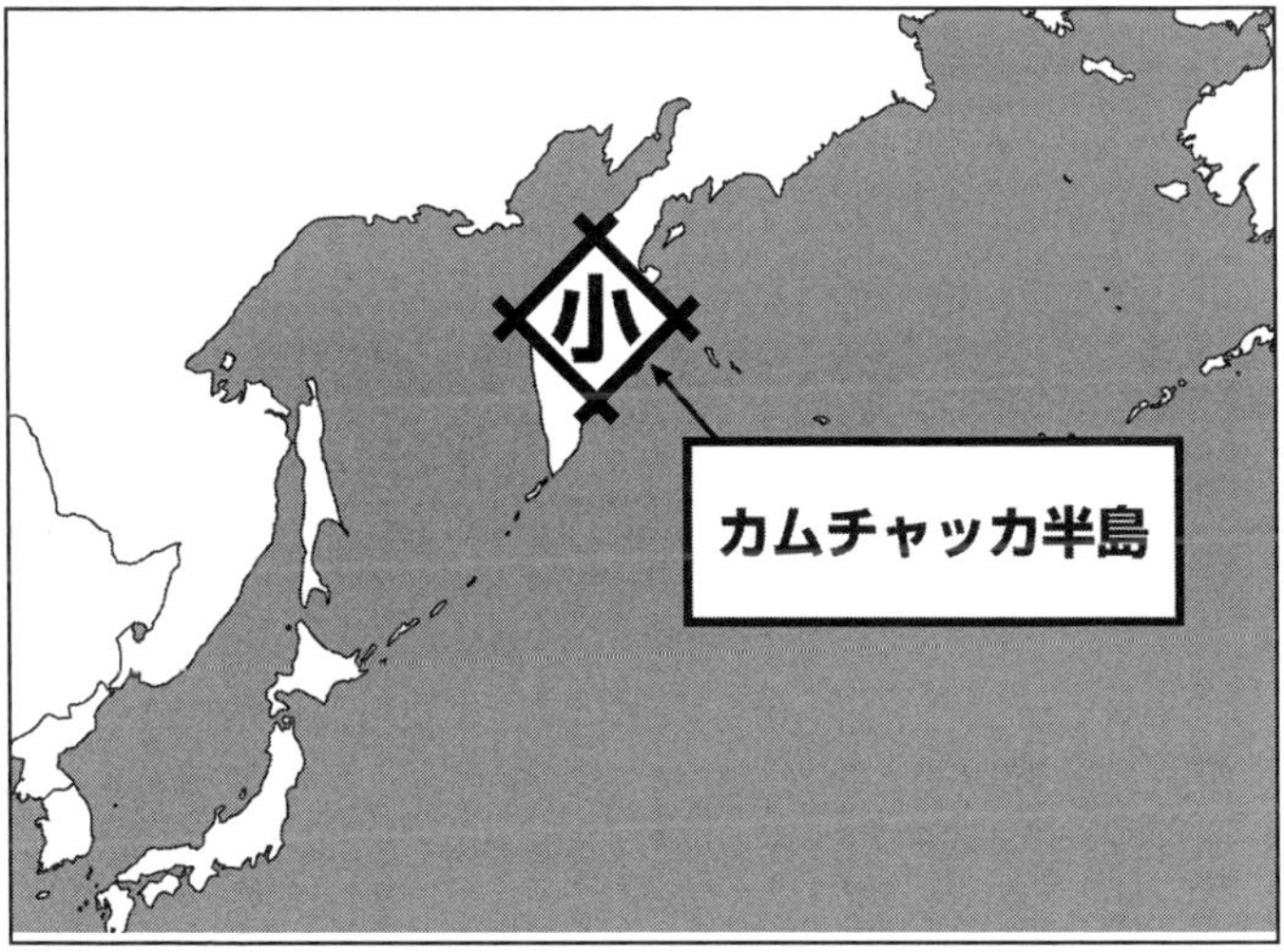

《戦略的重要地域「カムチャッカ半島」》

ホーツク海という二つの場所をパトロール海域にしています。ロシアは「バスチョン（bastion）」という考えを持っていて、要塞という意味です。防空システムや戦闘機、味方の攻撃型原潜を配備して、バレンツ海やオホーツク海をガチガチに守っておく。有事になってもアメリカとか日本の対潜水艦部隊が簡単に侵入してこれないようにロシアはしているわけです。

メインは北極海側のバレンツ海辺りなのですが、最近のロシアは太平洋艦隊にも相当力を入れるようになってきていまして、新型原潜がこれから続々と入ってくるのです。弾道ミサイルを積んだ原潜とか、それを守る攻撃型原潜、いまだに正体がよく分からない原子力核魚雷と呼ばれる「ポセイドン」というシステムを積んだ原潜がカムチャッカ半島の原潜基地に、これから五年間ぐらいで配備される予定です。この先二〇二〇年代半ばぐらいまでにカムチャッカの原潜部隊を倍増する計画です。

現在、アメリカのマクサーテクノロジーズの衛星画像を購入して、カムチャッカの基地をネットストーキングしているのですが、インフラの近代化が進んでいるのが分かります。そう考えると北方領土はオホーツク海のバスチョンを守っている列島線の南側にあるわけです。軍事的にいうとロシアは絶対に北方領土を手放したくはないと言えます。

もう一つ、カムチャッカにいる極東のロシアの核戦力というのは、戦略レベルでのロシアの抑止力を担保するわけです。いま話題になっている「ハイブリッドストラグル」みたいなものは、人類の闘争方法を完全にスイッチしたものではないと思うのです。むしろ拡張させている。古典的な戦争の可能性はそれはそれとしてあって、こういう非在来的な闘争の方法が出てきている。ですが、非在来的な闘争は古典的な暴力抗争をする能力に下支えされていると思うのです。

例えば、サイバー攻撃で決算システムが全部ダウンするとか、電力グリッドが全部ダウンするというときに、それで降参するという国はあまりないと思います。あるいは最近、中国の軍人が書いた『知能化戦争』（著：龐宏亮、編集：片岡力、翻訳：安田淳、上野正弥、金牧功大、御器谷裕樹、解説：木村初夫、二〇二一年、五月書房新社）という本が話題になって読んでいたのですが、彼の本は面白くて「そのうち全て無人化された軍隊同士で決闘をさせればいいのではないか」「暴力行使の敷居は下がって、人間が死なない形で大規模な暴力闘争の決着が着けられる」と主張しています。面白かったのですが、凄い疑問に思ったのは「果たして、無人の戦争で負けた側の国家は負けたと認識するのか」ということです。つまり、我が方の兵隊が一兵も死んでいない状態でドローン部隊が戦い、「我が方のドローン部隊は全滅です」となったときに「じゃあ、しょうがないね」と負けを認める国は、あんまりないと思います。「じゃあ次は兵隊を送り込んで血を流しても決着をつける」というようになると思うのです。その暴力闘争の一番究極的な形が核戦争というわけです。ですのでロシアはウクライナに対してハイブリッド戦争のような戦いを仕掛けつつ、その根底には「いざとなったら核ミサイルも使いますよ」「いざとなったら機甲部隊と機甲部隊がぶん殴り合うような戦争をする能力も持っていますよ」という構えになっています。

僕の友達のロシア人は、軍隊の倉庫にまだモシンナガンが積んであると言っていました。モシンナガンって分かりますか?第一次世界大戦のときにロシア帝国が使ったボルトアクション式の小銃で、鷲の紋章が入ったやつが油漬けになって倉庫にいっぱい積んであるらしいのです。ロシアは戦局が利あらずして負けそうになったら、最後は第二次世界大戦のときと同じようにパルチザン戦をやる気なんですよ。そういう能力があるから、ハイテク戦争とか認知領域戦争とかが出来る。戦略抑止下において低烈度の、あるいは非軍事の闘争が行えるところがロシアの強みだと思うのです。その意味でもカムチャッカのような核抑止力は、究極的に凄く泥臭い二〇世紀的匂いがするのだけれども、その基盤の上に「ハイブリッドストラグル」のようなものが乗っかっているという意味で、カムチャッカを重要な戦略地域にしてみました。

倉山

ありがとうございます。

皆さん気付きましたでしょうか、ようやく「日本」という名前が出ました。世界のことを議論していても「日本がどうするか」ということを考えた上で、自分たちはここで話しておりますが、残念ながら日本は世界の地図にはない土地になってしまっています。

中川先生、そろそろ「ハイブリッドストラグルとは何なのか」という話を、新しいことも起きているけれども変わらないこともある。両方の面があるのは当たり前なのですけど、ここで改めて「蠢争《しゅんそう》」という言葉を使っておりますが、「ハイブリッドストラグル」のことを提示した結論的な、お話をしていただければと思います。

「ハイブリッドストラグル」とは

中川　このフォーラムを開催するという段になって、最初に大国関係という文脈で「少なくとも米中露は重要なプレーヤーだよね」と考え、「そもそも、どうして我々はここに目が向くのか」となりました。やはりそれは冷戦時代の米ソや、米中という超大国の対立に意識がいっているわけです。

現在リアルな米中競争関係については、「新冷戦」という形で我々はよく言うわけですけど「戦《せん》」という言葉がくると、我々はパッと「戦《いくさ》」をイメージしてしまい、「戦＝戦いですよね」となってしまうわけです。

ですが、米中間の貿易額は純増で伸びているわけです。二〇一七年にトランプ政権になって米中対立が強まっても伸びています。その一方でQuad（日米豪印戦略対話）をはじめ、新しい軍事的な枠組みも含めて米中の間で溝が広がっているということも見えてくる。我々が普通に「戦《いくさ》」という言葉から「敵味方で別れるでしょ」と考えることや、米ソ時代の「冷戦」という歴史化された概念から西側諸国の勝利体験に結び付けて「我々はまた（米側の）勝ち陣営にいるよね」と考えてしまうのですが、もうちょっとですね、手垢の付いていない概念が必要です。今は少なくとも「戦《いくさ》」という概念自体が合わなくなってきているし、自由民主主義陣営も一枚岩ではないですし、（日本は米側という）絶対的な勝ち陣営にいると妄信することは危険です。

先ほど小泉先生がお話してくださいましたように、サイバー空間というレイヤーも密接にリアルなところと関わっているし、私が先ほどお話した「グレーターベイエリア」も産業経済というレイヤーで各国に網の目のように関わっているわけです。色んなレイヤーが複合的に密接に関わるようになってきた。言論空間もそうです。ですから、サイバー、言論、経済、それからリアルな領土みたいな形のレイヤーのどれか一面だけのグルーピングを捉えて境界線を判断することはできません。それぞれがあるレイヤーで強くなれば別のレイヤーでも強くなるし、逆に一つのレイヤーでミスをすると他のレイヤーで劣位に立つという構造にあるということを考えると、グルーピングやパワーバランスも複雑な絡み合いかたをしていますし、さらにその絡み合いが動的に瞬間的に変化していくわけです。

改めて「戦《せん》」ではない形で定義しないと、「そもそもフォーラム自体が開催出来ないのではないか」ということで、苦肉の策で、トイレの中で頭をたたいてひねり出したのが「ハイブリッドストラグル」という新しい概念です。

「ストラグル」というのが最初に頭に浮かびました。「ストラグル」は英語として使われているわけですけど、日本語にすると「闘争」とか「争い」「戦い」という訳が出てくる。そもそも日本語の概念として「ストラグル」に当てはまるものが無さそうだと考えて、カタカナ用語で「ストラグル」と表記しました。漢字圏のチャイナにずっと留学していた人間からしますと「何か漢字を当ててやりたい」という野心が出てきまして「蠢争《しゅんそう》」という漢字を当ててみたのです。

今回の「ストラグル」という概念は、先ほどあげたような色んなレイヤーがそれぞれ関連し合って敵味方という完全な二項分化が無く、膝を蹴り合いながら笑顔で酌み交わしている。ときには殴り合いもする、みたいな感じです。

「蠢争」の「蠢」は「蠢動」という言葉から取っていて、（外交）言論で互いに罵り合いながらも、実際には通商を正常に行っていたり、相手に悟られないように相手の敵と内通していたり、ということを含めて、それぞれの国（トランザクションパーティー）が蠢《うごめ》いている状況が「蠢動」という言葉であります。

「蠢争」の「争う」は「競争（コンペティション）」のことです。それぞれの国が自国のために、どこかの国とは友好国であり、どこかの国とは敵対しているという状況が「これはコンペティションでしょ」と考えて「蠢争」という言葉に当ててみました。これが今回提示するストラグルの概念になってきます。

部谷先生も小泉先生もお話されていましたけれども、大国間では、サイバーや国際世論といったレイヤーなどを含めたハイブリッドな競争関係が日常的に発生していることになります。これを組み合わせて、ハイブリッド性のあるストラグル関係、ハイブリッドストラグルとネーミングしました。

ハイブリッド性が高まると「戦」からストラグルに変質してしまう蓋然性が高まるという仮説も、ハイブリッドストラグルの概念には含まれています。政治家の方も含めて、軍事の専門家、様々な言論人やメディアにいる人たちというのが、今は特にそれぞれ専門性があります。本来は、各専門家が「この領域だけやっていればいいんだ」という形ではないわけですが、専門性が高度にわかれてきているので、他の領域に踏み込むのは簡単ではありません。例えば、軍人が多国籍企業の最新投資トレンドを知るのはなかなか難しいでしょう。

昔だったら、第一次世界大戦、第二次世界大戦がどうして始まったのかは、皆さんには釈迦に説法で、ご存じかと思いますが、「あそこで紛争が起こったら我々も介入しなければならない」という、ある意味ではリアルな世界（のレイヤーだけ）で分かりやすかったのですけど、現代だと、こっちを立てればこっちが立たないみたいなハイブリッドな状況で、もはや国家の首脳と数人、もしくは数十人のトップレベルのチームでは判断できない状況が起こっています。しかも自分たちの認知の範囲を超えた別のところでは、また別の問題が起こっているかも知れない。ハイブリッドかつ、全く知覚できないところで同時に別の問題が起こっているとすると、「人間（国家の意思決定をする人ら）が認知する能力と判断する能力を、絶対的に常に超えている状況なんじゃないか」という想定が、結果的にストラグルな状態を定義するんじゃないかと考えました。人間の認知と判断の限界合理性が「ストラグル」を生み出すんじゃないかと。

日本人は何を考え、備え、すべきなのか。……「知的努力をやっていく努力」

倉山

残り時間も一〇分ぐらいですので、部谷先生から席の並びの順で、二分ずつぐらいで、こういった世界で起きていることを踏まえた上で、我々日本人は何をすべきなのか、考えるべきなのか、備えるべきなのか。「日本」という言葉を主語にして、それぞれ二分ずつぐらいで部谷先生から最後に客席の方々に向けてメッセージをお願いできればと思います。

部谷

ありがとうございます。最初の三〇秒ぐらいで先ほどの小泉先生のコメントに少し付け加えさせていただき、日本への提言という形につなげたいと思います。

闘争が拡張されているのは、まさにその通りだと思います。最近、自衛官とか研究者と「将来戦」について議論をしています。無人化していく中で、アメリカの「モザイク戦」「ハイパーアクティブ戦場論」とか「無人機同士が戦って綺麗に勝つんだ」と言われるのですが、クラウゼヴィッツが言う通り、敵の打倒をしないと戦争は終わらないわけです。

歴史を見るとイタリア王国の陸軍軍人ジュリオ・ドゥーエという人物が「空軍力で相手の首都を一気に燃やせば戦争は終わる。いっぱい死ぬけど、その方が最終的には少ないのだ」と言っていましたが、日独の各都市に戦略爆撃をしたアメリカは逆に「よくもアメリカめ」と日独の戦意を上げてしまった。無人化とか省人化が進んでいくと人間の命が逆に重要になって、人間の命を無人兵器で殺そうとする。無人兵器で軍人なのか市民なのか分からないけど攻撃をするような戦争になっていくのだろうと思います。そうしなければ戦争は終わらないわけです。

日本に対しての提言というのは「知的努力をやっていく努力が必要」ではないかと思います。

私は大学で話をすることがあると学生さんに「世界地図を書いてください」と言うのです。イメージで書かせるのですが、昔だったら米ソですよね。昔は単純だったんですよ。今は「アメリカ」「アメリカ、EU、中国」「Amazon、Facebook」とか、人によってぐちゃぐちゃなんです。つまり現実の世界は一つなのに、サイバー空間と現実空間がくっついてきているのも原因だと思うのです。我々は世界を捉えられなくなってきている。しかも捉え方も違うのです。だから同じ日本人同士でもインターネット空間で喧嘩をしているのです。

今の世界がどういう世界なのかを捉える作業というのが、今回のフォーラムだったと思うのですが、倉山先生と皆様で「今どういう社会なのか。そのために何を変えなきゃいけないのか」というのを、やっていくことが重要ではないかと思います。ドローンとかもそうですが、漠然と捉えるのではなく、どこをどう伸ばしていくのかを真剣に考え、今の世界を捉え直す。捉え直していく作業が大事だと思いますので、ぜひ皆さん、私も分からないですので色々とアドバイスいただければと思います。以上になります。ありがとうございました。

日本人は何を考え、備え、すべきなのか。…「闘争本能」

倉山

では、続いて奥山先生。

奥山

ありがとうございます。先ほどの小泉先生の話、第二次世界大戦のときのボルトアクション式の銃をロシア軍がまだ持っているという話にちょっとつなげたいかなと思います。

日本への提言を含めた話なのですが、思い出話も含めて色んなところで話しているお話をさせていただいて、日本への提言という形にしたいと思います。

二〇一三年、今もインターネットで探すと出てくると思いますが、某防衛産業の大手F社が突然、僕にメールをくれまして「奥山さん、マーチン・フォン・クレフェルトというイスラエルの学者が来ます。興味ありますか?」と書かれていました。中東の戦略系の学者なのですが、結構物言いが酷い人で色々なところで問題を起こしている。二〇一八年ぐらいの話ですけど、ケンブリッジ大学のカンファレンスに登壇して「女性を絶対に戦場に入れてはいけないのだ」という議論をぶっ放したら、ケンブリッジ大学を追い出された。カンファレンスの最中に「お前は出ていけ」と言われるぐらいに問題発言が多い方なのです。その方が何と二〇一三年に日本に来たのです。

某F社の招きで呼ばれたのが六本木ヒルズ。四十何階に三〇〇人ぐらいは入れる結構大きいホールでした。登壇者の一人がクレフェルトで、他に三人の先生方がいて「安全保障の話をしましょう」というイベントでした。僕はクレフェルトを知っていますから「異様な組み合わせだな」と思いました。登壇者の組合せが一人だけおかしい人がいるわけです。「これやばいな」とも思っていたのですが、周りにＦ社のサラリーマン三〇〇人ぐらいがいる中で聞いていたわけです。

「安全保障」がテーマなので「国をいかに守るのか」という話になっていくのです。二〇一三年のアメリカはオバマ政権の時代ですので「リベラルな価値観でやっていきましょう」というのが世界では多く話されていました。僕は一番後ろで話を聞いていて「こういう感じだよな。安全保障といっても、やっぱり経済だよね」と思いながら、登壇している先生たちも「経済で仲良くやっていきましょう。我々はwin-winの関係をアジアでしっかりやっていき、経済関係を基に安定をさせていけば、我々の安全も担保できますよ」みたいな話がされていました。「そうだよな」と思える話なのですが、安全保障系、戦略系の人間からすると「ちょっと甘っちょろい話だよな」と思っていたわけです。

それで一番最後にクレフェルトが出てきました。「何を言うのかな?」と思っていたら、「安全保障とは自分の国を守るために相手の人間を殺せるかどうかだ」という話を始めたのです。そこからずっとクレフェルトは「kill、kill、kill…」と言っている。「殺せ、殺せ、殺せ…」とずっと言っているのです。三〇〇人ぐらいの会場の参加者全員がドン引きになっちゃって、「この人、何言ってんの」という感じになったのです。アジアの豊かな海の話をしていたのに、突然、中東のイスラエルの砂漠の景色が見えたという感じでした。

クレフェルトは、イスラエルの周りが敵国ばかりという中で「いかに国を守っていくのか」と考え、徴兵を実施しているところを見ているわけじゃないですか。我々が国を守るとか、安全保障の話をする際のサイバーとかテクノロジーの話も、もちろん重要なのですが、そのときに思ったのが、知識的なところも大事なのですが、国を守るためには心の中に、ロシア人ではないのですが「心の中にkillを持つ」というか「やってやるぞ」という、人間同士が戦う、「ストラグル」をするという、人間本能の「ヒューマンネイチャー」というのですが、「人間の本能で戦い、争い、国を守っていく」ということを忘れてはいけないと、新しい戦争の話をするたびに僕は思うところがあります。

なので、もしかしたら「闘争本能」というのか、そういうものは忘れてはいけないないなと二〇一三年のクレフェルトの話を聞いて思いました。はい、以上です。

倉山　奥山先生、ありがとうございました。続いて小泉先生、宜しくお願い致します。

日本人は何を考え、備え、すべきなのか。…「激しい闘争の最前線に立ちつつある」

小泉　私もクレフェルト先生の大ファンで、著作は大体読んでいて「絶対に生では会いたくないな」と思っていたんですけど、そのことが改めて確認されたエピソードで大変勉強になりました。

「日本」を主語にしたお話で言いますと、奥山先生のお話の延長にあると思うのですが、やはり日本が「暴力的なものから非暴力的なものまでを含めた激しい闘争の最前線に立ちつつある」ということは、残念ながら認めざるを得ないわけです。冷戦の時代は、結局はヨーロッパの内戦だったので、主戦線はどう考えたってヨーロッパ側にあるわけです。極東側というのは、後年、ソ連側の話を聞いてみると「極東側は攻められても良い。守れれば良い」と考えているだけで、日本上陸とかは考えていなかったのです。第二次世界大戦後のスターリンは北海道を占領する気でいましたが、あくまで最初のときだけです。

ところが今は中国が物凄い勢いで伸びてきて、平時の戦争に至らないような域地における闘争みたいなものの正面になり、どこかでエスカレートした場合には、核使用も含めた激しい暴力闘争の正面になり得るという、一番矢面に立つという初めての経験を日本はしていると思います。しかし、なかなかそのことを我々は自覚できていないわけです。

ですが、いま非常に良いチャンスだなと思うのは、二〇二二年に国家安全保障戦略を改定するためです。僕のところにも有識者ヒアリングとかがいっぱい来ています。そういう観点から日本の安全保障体制を立て直す良いチャンスだなと思い、いま私は活発にあちこちで書いたり言ったりしていますし、フォーラムの登壇メンバーからも発信できれば良い機会ではないかと思います。国家安全保障戦略は一〇年ぐらい使います。つまり、二〇三〇年代までの我々の覚悟みたいなものを春ぐらいには固めなければいけないみたいです。

それで年内改定という話らしいので、本当にこの数カ月が勝負になるかなと思っています。

倉山
小泉先生、ありがとうございます。中川先生、宜しくお願い致します。

日本人は何を考え、備え、すべきなのか。……「日本の知財を使い交渉を」

中川
日本がどういう状況に置かれているのか、チャイナという厄介な超大国が直ぐ側にあるという状況から考えると、我々は地理的にフロントラインという状況にあると思います。言うまでもなくまず必要なことは、高い解像度でチャイナを捉えることです。強みと弱みがあります。例えば、チャイナの広大な市場というのは、ある意味では彼らの最大の強みと言えますが、それが転じて最大の弱みにもなります。チャイナはなぜ広大な市場を持っているのかというと人口が多いからですが、一四億人もいるわけなので、それが転じて

「食糧安全保障」のシビアなリスクにつながるのです。おそらくは本当に戦争に直面したら「食糧問題」は、なかなか厳しいだろうという話があるわけです。平時であっても、いま大豆の輸入量は年間一億トン越え、世界流通量の約六〇%を輸入せざるを得ない、超輸入国家になっているわけです。つまり突発的な不作に持ちこたえられないのです。

では、チャイナはその対策のために何をやっているのかというと、物凄い勢いで（農作物・化学に関わる）知財を買ったり、食糧供給ルートの上流を買おうとしています。腹を満たさなければ国が潰れます。なぜ国が潰れるのかについて、リアルな視点が重要だという議論がありましたけれども、そういった意味ではチャイナにとっては「食糧が持たない」というのが、他国よりもシビアな問題として、チャイナはあまり大声で言わないけれどもあるわけです。

そこから転じれば、日本が知財として持っている農業や食糧にかかわる商材はチャイナとしては欲しい投資対象で、そこに対して日本はそれを十分に利益を確保して売る（またはライセンシングする）ことで、我々は国富を得て、対中防衛力を高められるという話であります。チャイナが欲しがる資源を色んな形で日本が持っている中で、まだまだ使いきれていない分野が多いわけです。そういったところを、どう競争優位になるように活用していくのか。色々な意味で交渉材料になっていきます。
チャイナもジャパンバッシングをしているとはいいながら、「(長年経済大国としてストックしてきた資本や技術がある)日本は結構いろんな良いものを持っているよね」ということで色目を使ってくることが多いです。ですが、日本は「スルー力」が高すぎるので色目を使われていることに我々は気づかない。上手くチャイナが欲しがるものを見切った上で、上手い交渉に立ちまわっていくのが重要かなと思いました。以上です。

倉山　中川先生、ありがとうございます。渡瀬先生、宜しくお願い致します。

日本人は何を考え、備え、すべきなのか。…「相手の国の解像度を上げる」

渡瀬

最後なんですけど、ちょっと地味な話になっちゃうかもしれません。いま日本にとって一番必要なことは、外交とか安全保障でいうと「相手の国の解像度を上げる」ということだと思っています。

最近こんなことがありました。金融機関の方に「アメリカの選挙はこうなりますよ」というお話をしているのですが。大統領選挙を州レベルのカウンティレベルで分析した僕の話を「アメリカ人に話してみました」という人がいたのです。そのアメリカ人は「俺の国そうなっていたんだ」という返答をしたそうです。相手の国を理解するときに何となく漠然と理解していると思うのです。「アメリカ」とか「中国」という感じですね。そうではなくて国というものが「どういう政治の構造で動いていて、どんな人たちがいて」ということを理解した上で「その国にどうやって対応するのか」としないと全然話にならないわけです。

例えば、日本の政治を思い浮かべて欲しいのですが、自由民主党とか政党が色々とありますよね。会場の皆さん、東京第一〇区の選挙区は分かりますか?たぶん分からないと思いますが、そういうレベル感で相手の国を分析して、「じゃあ、この議員にアプローチをするか」ということを国としてしっかりやっていくことが大事なんです。これを中国は出来ていると思います。アメリカに対して出来ている。そういうようなことを我々も考えてやっていかなければいけない。というのが提言の一点目になります。アメリカだけではなくて中国とか他の国に対しても同じレベルのものをやらなければいけない。というふうに思っています。

その中で先ほどの部谷先生のお話で面白いと思ったのが、「F15一機を一時間飛ばすと二五〇〇万円以上のコストがかかり、ドローン一機は七万円です」ということで、言ってみたらアメリカ人は予算の使い方を滅茶苦茶、精査しているわけです。では、日本はアメリカの調査研究にいくら使っているのですか?どんな成果があるんですか?と言われてもほとんど分かりません。自衛隊は情報公開をしていないという話もありますが、結局はろくに計算をしていないのです。

だから私たちが日本という国を良くしたいというのであれば、皆さんも税金を払っていますけれども「その税金がどういうふうに使われているのか」ということに関して「意味のある使い方をしているのですか」ということを徹底的に見直すという、凄い足元の話なのですが、そういうことが大事かなと思っています。ありがとうございました。

閉会の挨拶…「日本が文明国として生き残るために」

倉山

渡瀬先生、ありがとうございました。それでは、五人の先生の皆様に盛大な拍手を。それでは最後に理事長兼所長として私から挨拶をさせていただきたいと思います。

皆さん、いかがだったでしょうか。他では聞けない話を聞けたと私は自負しております。奥山先生だけ私より一つ年上なのですが、他の全員が私よりも年下で、これだけレベルが高い会というのは、私も見たことがない。私自身も過去に聞くことが出来なかった話を、皆さんとお聞き出来たということで大変満足しております。今日のお話は難しい話もいっぱいあったかと思うのですけど、本気で日本を救おうと思ったらこういう話を知らなければならない。ただ気持ちが良いことを聞いて帰すだけでも駄目。「日本の今は大変なんだよ」と脅して帰しても駄目。本当の現実の日本がどういう状況に置かれているのかということを、日本で最高の若手学者に集まっていただいて、「日本がどうやって、この世界で生きていくのか」というお話を提供できたのではないかと自負しております。

救国シンクタンクは、会場にいる皆様はご存じのように「日本には近代政党が必要だ」「近代政党というからには、ちゃんとしたシンクタンクがなければいけない」「近代政党がなければ我々自身でやっていこう」「政治は政治家だけに任せるには、あまりにも重大である」という話を何度もしたと思いますが、これからも続けると思います。

ではなぜ、近代政党を目指すシンクタンクが国際情勢について語るのかというと、目的は一つで「日本が地球上で文明国として生き残るため」なのです。他人の靴の裏を舐めて生き残るのならば、生きていると言えるのか？今までは第二次世界大戦で負けた後に戦火に晒されなかったのですが、これからはよく分からないのですよね。今までと違ったことが世界で起きているのならば、世界で起きている現実を知ろう。安易に希望を持つこと、楽観すること、無駄に絶望することもなく、「一体、現実にどんなことが起きているのか」

という「シンク（think）」を「タンク（tank）」していこう。ということで今回のフォーラムを開催させていただきました。

気持ちいいだけではなく、怖がるだけでもなく、現実に我々が一体なにをしていくのかを考えるきっかけになったのならば、日本は救国に一歩近づけたのではないかなと思います。

これからも皆様のご支援を宜しくお願い致します。

最後にご登壇者の皆さんに盛大な拍手をもう一度お願い致します。

第二部

※本内容は令和四（二〇二二）年一月二二日に開催した「大国のハイブリッドストラグル新春2022」の前に行われた救国シンクタンク研究会での発表を基に文章化しました。そのため時事に関する情報は当時のものに加筆修正しました。

第一章　アメリカの最優先政策と裏付けとなる価値観

渡瀬裕哉

現代の国際情勢とアメリカの現状

アメリカの価値観について話をしていくのですが、まずは国際情勢がどのようになっているのかを、おさらいさせていただきたいと思います。

アメリカが超大国であることに間違いはないのですが、バラク・オバマ政権後期の頃から覇権国アメリカのライバルとして中国の台頭が著しく、それまで力を入れていたロシアや中東地域から少しずつ手を引いてアジア太平洋地域に重点を移しつつあるというのが二十一世紀の全体の流れになります。

そのような状況の中で現在のジョー・バイデン政権は、どのような国際情勢に置かれているのかというと、ロシアや中東の国々から「アメリカは我々から離れていくんですね」という話になっていて、簡単にいうと舐められている。「どうせアメリカはインド太平洋地域の方へ行くんでしょ」という話です。中国側から見た場合は「アメリカはインド太平洋地域に来ると言っているけれども、どうせ東欧や中東で足を引っ張られるから、こちらには集中できないでしょ」という状況です。

アメリカは世界中に軍事力を展開して同盟国がいるのですが、それは強みであると同時に義務を背負っている状態ですから、そういう意味では弱みでもある。今のアメリカは弱みを突かれてしまっている状態なんです。東欧のウクライナや欧州の同盟国を見捨てるわけにはいかない。中東のイスラエルやサウジアラビアも見捨てるわけにはいかない。そのような状況の中で中国に集中が出来るのかというと、他の国から足元を見られてしまっているのが、現在の地政学的な状況になります。

さらに、アメリカにとっては自分の裏庭みたいな南米において次々と左派政権が誕生しています。二〇二二年一〇月、ブラジルにも左派政権が誕生するかもしれないということで、自分の裏庭自体も炎上してしまっているのが現在のアメリカの状況です。

また、世界中に火の手が上がっていて対外的な対応力というものが落ちている中で、アメリカ国内の状況も非常に混乱をしています。

現代のアメリカ人の価値観は二つに分かれていて、国内に違う国が二つあると考えていただければと思います。何故二つの価値観に分かれているのかというと、アメリカは中国やロシアという全体主義国家とは違い民主主義国であり、選挙によって政権交代が発生する二大政党制だからなのです。

元々そこまで価値観が分かれていたわけではないのですが、現在は選挙マーケティングの発達により、共和党と民主党のそれぞれの価値観が先鋭化する方向性になってしまっています。

選挙マーケティングの発達が進み、選挙に人を動員したり、票や献金を集めるためのターゲットのセグメントが正確に出来るようになり、より価値観を鮮明にすればするほど票も献金も入るという形になったのです。そして、共和党と民主党の両党ともにこのような選挙を続けた結果、アメリカには二つの価値観が存在するようになりました。では、二つの価値観がどのようなものか。

共和党の価値観

一つ目は共和党の価値観を説明していきます。共和党には、一七七六年にイギリスから独立をしてアメリカを建国した歴史的背景から、基本的に政府不信と個人の自立を大切にする価値観があります。

個人の自立とは自分たちの財産権などの権利を守るんだという意識です。元々、共和党はそういう政党ではなかったはずですが、現代ではアメリカ南部の独立精神のようなものを持ち、連邦政府への不信感、ワシントンD.C.への反感がある。それは独立を果たしたアメリカがイギリス本国の政府への不信感を持っていたことにもつながるのですが、そういう自分たちの遠いところにある政府に対する不信感というのが共和党のベースにあり、良い言い方をすると自主独立の精神があるとも言えます。

共和党の価値観に基づいた政策というのは、基本的な外交政策の発露として表れるとどのようになるのかというと、自分たちから遠いものを信用しないという形になります。基本的には国連とかTPP（環太平洋パートナーシップ協定）などの多国間条約は全て腐敗しているものに見えるのです。

共和党から見ると「国連はアメリカ人が一人一票を投票出来るわけでもないのに、大国間で何かをやっている場であり、今は中国に支配されそうになっている。ヨーロッパ人も常任理事国として偉そうな顔をしている」というように見えている。多国間条約に関して、例えばTPPがどのように見えているのかというと「各国の外交官僚と経済官僚と大企業が作ったもの」に見えるのです。一般的にTPPというのは、自由貿易を促進する、もしくは自由な投資、人の移動を促進していく、何かを自由化するという理解がされています。ですが、共和党からの見え方は違っていて「わざわざそんなものを決める必要はない。全ての関税を廃止すればいいんだ」という話になります。また、人の移動は自由にしても問題ないのですが、アメリカの価値観や憲法を守らない移民は駄目、というスタンスです。「人の移動や投資、貿易は自由にすれば良い。それを条約などで決める必要はなくて、余計なものは廃止すれば良い」というのが共和党の考え方であり、だからこそ多国間条約は腐敗したものに見えるわけです。

その結果として表れた外交政策が、ドナルド・トランプ政権時代のアメリカ・ファースト（アメリカ第一主義）です。トランプ大統領が相手の国の元首に会って話をして二国間協定を結ぶ場合は、アメリカ人が選挙で選んだ代表者が話をしている形だから、まだ信用出来る。国連で多国間条約や多国間協議など何かをするよりもマシということです。関税をかけることになっても多国間で協議して決めるよりも、大統領が話し合いで決める方が良い。ちなみに関税に関して、共和党の関税をかける理由は「相手国のふざけた制度（知的財産権を盗む、不当な関税をかける）を是正するまでは関税を課すが、相手国がまともな制度に直したら関税を廃止する」というものであり、基本的なロジックになります。最終的には全ての関税を廃止するための手段として連邦政府を利用するのが共和党です。

そして、共和党には「信用出来ない相手国に対する外交では、アメリカの武力を強めたほうが相手国に言うことを聞かせられて、アメリカを守ることにつながる」という発想があります。だから、アメリカ・ファーストで単独主義、「有志だけついてこい」みたいな話になる。共和党の基本的な価値観に根差しています。

共和党の価値観に基づいた国内政策の話としては、合衆国憲法を重視しています。共和党は保守派であり護憲派であるため、憲法の文言通りに国家運営をやるべきだと考えています。合衆国憲法の修正条項には武装する権利（修正第二条［武器保有権］）が書かれているから銃の所持はＯＫでしょう、という話になります。財産権を保障する（修正第五条

［大陪審、二重の危険、適正な法の過程、財産権の保障］）と書いてあるから税金には反対。信教の自由を保障する（修正第一条［信教・言論・出版・集会の自由、請願権］）と書いてあるからキリスト教の信仰を大事にするのは当然という話になるのです。

護憲派であるから合衆国憲法に忠誠を誓わない不法移民が入ってくるのは駄目で、合衆国憲法に忠誠を誓う移民は入っても良い、という価値観に基づいて国内政策を運営するのが共和党です。

そして、共和党の人たちは合衆国憲法に基づいて国が運営されており、世界で唯一自分たちの国だけが自由な国だと思っている。他の国に対しては、不当な関税をかけられたりすると許せないが、基本的に関心がありません。自分たちが特別だと思っているためサウジアラビアなどの権威主義的で民主主義が機能しているのかな？という国とも共和党は仲良く出来ます。自分たちは特別で他の人たちとは違うと思っているのが共和党の基本的なスタンスです。

民主党の価値観

二つ目の民主党の価値観はどうなっているのかというと、科学や知識をベースにしたリベラルな価値観を持つ政党です。基本的に学者や官僚が国民よりも正しい結論を導き出せると思っています。例えば、国連で専門の官僚が話し合い、考え出された話は合理的で、多国間協議も知的水準の高い役人たちが話し合った内容だから良いもの、という話になるのです。

国内政策では、合衆国憲法は昔作られたものだから、より合理的に修正をしていく。今の価値観に従って文言を拡大解釈したり見直したりすることは良い。進歩派とも呼ばれますが、そのようなことを是とするのが民主党です。憲法の拡大解釈とはどういうことかというと、新しい権利を作り出していき、裁判をしていくという話になります。いわゆる企業を訴えて巨額のお金をせしめる弁護士というのは民主党側の人が多い。企業に対して「こういう人権、こういう権利を侵害しています」と言いながらお金を取る。民主党も法制や規制を整備していくのでマッチポンプとなるのです。

外交政策については、国防の予算を伸ばすのではなく国務省費を伸ばしていく。移民に関しては「不法移民の流入を防ぐために、中南米地域の人たちの経済水準を引き上げるための国際援助が必要だ」という話になります。何故そうなるのかというと、民主党の価値観には「自分たちが言っていることは、普遍性があり、合理的である話」という思いがあるためです。さらに、党内左派になってくると、不法移民にも人権があり、それは無条件で守られるべきものという帰結に至ります。

民主党は、民主主義は普遍的に価値があるものだと思っており、相手の国に民主主義を押し付けます。自分たちが設計をした民主主義は合理的な存在であり、非合理的な権威主義国を是正の対象に定めます。

一番象徴的な事例がサウジアラビアとの関係です。共和党の場合は「サウジさん、アメリカは自由で民主主義の国で特別なんですけど、サウジさんは権威主義的な王国だよね。でも、イランと戦ってくれるのならばうるさく言いません」という話になるのですが、民主党の場合は「サウジさん、あなたたちは一応同盟国だけど、人権弾圧は容認できないので徹底的に改善してもらいたい」という話をすることになります。民主党は学校の先生のようなスタンスで、世界中の悪ガキに対して「それは人権上問題です」という感じで説教をします。そして、あまりにも悪ガキが言うことを聞かないと突然怒り出して、欧州などの他の学校の先生と共に集団で悪ガキをリンチするイメージです。共和党の場合は自分が殴られたら殴り返すだけですが。覇権国家による支配という認識が民主党にはあり、共和党は独立自尊の認識が強く「有志だけついてこい」ということになります。

ネオコンの価値観

アメリカ人の大きな価値観は共和党と民主党の二つなのですが、ここで、共和党と民主党の価値観とは違う人たちの存在も紹介していきます。まずは、ネオコン（ネオコンサバティズム）と呼ばれる人たちです。

ネオコンと呼ばれる人たちは外交政策面に影響力があるのですが、親イスラエルの知識人を基本的なベースにした知識人集団です。中南米でも左翼が支配しているベネズエラやキューバなど、圧政を敷かれている国から逃げてきた人たちの子孫もネオコンにいるので「海外で圧政を敷いている奴らを是正させる」という思いもあります。中東やイスラエルへの関与を推進しているのもネオコンです。

ネオコンは共和党と民主党の両方に存在します。ネオコンはアメリカ単独の制裁で相手国の人権状態などを改善していき、その際に武力行使をしても構わないと考えています。例えば、イラクとかアフガニスタンに対して「武力行使で相手の国の体制を覆して、そこに新しい民主主義体制を作ることは良いのだ」と考えているのがネオコンです。

このようにネオコンは、共和党や民主党とは違う亜種のようなものとして存在しています。普段はそんなに力があるわけではないのですが、二〇〇一年九月一一日のアメリカ同時多発テロ事件のようなことが起きると力が強くなり、特に共和党側と複合的な連鎖反応を生むのです。

共和党は攻撃を受けると反撃をする人たちなので、攻撃を受けると躊躇なく「軍事力を行使します」となってしまいます。それがアメリカ同時多発テロ事件以降の米国ではしばらく継続しました。民主党は普段から他国に対して民主主義を広めるという形で、ある意味攻撃をしているのでネオコンとの相性は良いのですが、実際にはなかなか軍事行使には踏み切らず時間がかかります。このように共和党と民主党の二つの価値観に加えて、両方に含まれる形でネオコンという、もう一つの価値観が存在しているのです。

リバタリアンの価値観

そして、少ないのですがリバタリアンと呼ばれる人たちも存在をしていて、リバタリアンの価値観は共和党の価値観をさらに先鋭化したようなものになります。「基本的には政府のやることは全部駄目で、アメリカは対外干渉をするべきではない。駐留米軍なんてもっての外、駐留米軍はアメリカを戦争に巻き込もうとしてるのだ」というのがリバタリアンの価値観です。日本では「在日米軍がいると日本が戦争に巻き込まれる」と主張する人がいるわけですが、リバタリアンからすると「日本の戦争にアメリカが巻き込まれる」ということになるのです。

二〇一六年、共和党で大統領選挙の候補者を選ぶ予備選挙が行われているときに、トランプ候補が勝つとは共和党の人たちも思っていなかったため、外交安全保障の専門家がトランプ候補には付いていませんでした。そのためトランプ候補が外交安全保障に関して頼ったのがリバタリアン陣営でした。

大統領選挙中からトランプ候補は「在日米軍を撤退するべきだ。嫌ならもっと金を払え」と主張をしていましたが、当時のトランプ候補を支えた人の中にリバタリアン思想を持った人たちがおり、そのような文脈から話が出てきていたのです。

実際にリバタリアンの人たちの考えがどのようなものかというと、二〇一九年一月にアメリカでロックフェラー四代目のジョージ・オニール氏と面談をする機会を得て、彼の昼食勉強会に参加をしたときのお話を紹介します。

その勉強会で外国がアメリカのロビイストにお金を支払っているランキングについて話がありました。どこの国が一番アメリカに影響を与えるためにロビイストを雇っているのかという話で、正規のルートでロビイストを雇っている上位三カ国は、日本・ドイツ・韓国だったのです。

そこで「上位三カ国について特徴を言ってください」という話をリバタリアンの人たちがしていて、「米軍が駐留をしている国で、この三カ国はアメリカを戦争に巻き込むためにロビイストをアメリカ国内で雇っているのだ」という回答がされていました。確かにそう見えなくもないじゃないですか。トランプ候補が駐留米軍の撤退を主張していた背景を理解しておかないと、相手が何を言っているのかは分からないですよね。アメリカの大統領に影響を与えている価値観を知るのは大事なことです。

親露派と誤解をされるリバタリアン

このリバタリアンの人たちが親露派と誤解をされます。それは何故かと言うとロシアに深く干渉をしない人たちであるためです。どういうことかというと、民主党やネオコンの人たちは民主主義思想を世界に輸出する意思があり、そこと対立をする共産主義思想を輸出する存在がソ連（ロシア）でした。そのため、民主党としてはロシアとは戦わないといけないという話がベースとして存在しています。

それに対して民主主義思想を輸出する必要がないと考えるのがリバタリアンの人たちです。「ロシアが思想を輸出しても俺たちは別に干渉をしなくていい」という話になるのですが、ここまで言うアメリカ人も少ないため、リバタリアンは親露派だと見なされる人が多いのです。

アメリカの価値観「2＋1＋1」

大枠で分けると共和党と民主党のそれぞれに価値観が存在をしていて、そこにネオコンが尖った形で存在する。そして、ビフィズス菌（善玉菌）のような存在としてリバタリアン思想が存在するのがアメリカという国の価値観になります。

分かりやすくまとめると「2（共和党と民主党）＋1（ネオコン）＋1（リバタリアン）」の価値観がアメリカを構成しています。

現在起きている世界情勢全般に関しても、アメリカの「2＋1＋1」の価値観を理解しておくと、バイデン大統領の一般教書演説とかトランプ前大統領の一般教書演説で述べられている、その年度の方針演説を正しく理解出来ます。その年の一般教書演説を見ればアメリカという世界最大の国の方針が分かり、世界中の国がそれに従ってどのように動くのかを考えられます。アメリカの政権を持っている人たちの価値観がもろに世界の価値観に、陰に陽に影響が及ぼされるようになります。

日本はダイレクトに影響を表面上は受けているのですが、中身はあまり変わりません。しかし、世界中の人がアメリカの一般教書演説を見ています。どのくらいまで何の価値観がブレンドされた政権なのか一般教書演説を見て「民主党八割、共和党二割かな」みたいに見ています。

価値観の分断が進むアメリカの問題

価値観の分断が進んだアメリカの価値観は今後、統合をするのかという話ですが、基本的には不可能だと思われます。選挙のマーケティング技術が発達している中で、一〇年に一回ゲリマンダーが実施されています。ゲリマンダーとは、ある政党の支持者を特定の選挙区に押し詰めて、その他の選挙区ではもう一方の政党候補者が総体的に多く当選するように選挙区割りを確定させる方法です。選挙区の見直しが進み、区割りが変更され、選挙区ごとに特定の党派に価値観が偏り、先鋭化をするようになりますので価値観の統合は不可能でしょう。分断は元に戻らずに今後はさらに拍車が掛かっていくことになります。

拍車が掛かるとはどういう意味なのかというと「一線を越える」と思われます。

例えば、二〇二二年二月にロシアがウクライナに侵略をしたことでアメリカもロシアと揉めている状況です。ロシアと揉めることでエネルギー危機が発生をして原油価格が上がっているという中で、民主党左派は「気候変動対策をやるんだ」と、アメリカのシェールガスに制限をしています。アメリカの安全保障上問題がある行動にも関わらず、民主党左派は考えていないわけです。

では、共和党はどうなのかというと、共和党の「自分たちは特別だ」という価値観が極端になっていきます。そうなると赤狩りのようなことも始めてしまいます。国外の話に関心はないのですが、国内の「不純物は許さない」みたいなことになっていくのです。

「先鋭化」というのが、これからのアメリカのテーマになると思っています。選挙の仕組みとして、この先鋭化はなかなか元には戻れない。そして、アメリカという国は意思決定自体が不透明で先鋭化された国になっていき、安定した国ではなくなるのではないか、というのが今の見通しです。

不安定な国に変化をするアメリカ

価値観の分断が進み不安定な国となったアメリカによって、我々日本人がどのような迷惑を被るのかを、一つの事例を参考にして解説をしていきます。

二〇一五年一二月一二日、フランスのパリで開催されていた第二十一回気候変動枠組条約締約国会議（ＣＯＰ21）にて、気候変動抑制に関する多国間の国際的な協定として「パリ協定」が採択されました。このパリ協定は「パリ条約」ではなく「パリ協定」になっていますが、それは何故なのかというと、アメリカが関係してきます。

アメリカが条約を結ぶためには上院の三分の二の承認が必要になります。ですが、選挙マーケティングをやり過ぎたために上院一〇〇議席における両党の議席数は、ほとんど互角になる状態です。上院の選挙では各州から二人ずつ選ばれるため本来はゲリマンダーが出来ないはずなのですが、選挙技術の発達により先鋭化が進み、常に両党の議席が五〇対五〇ぐらいに拮抗します。これはつまり、アメリカは与野党の価値観が対立する問題に関しては条約を結ぶことが出来ないというわけです。事実上、外国との条約を結べないのは不便ですので、アメリカは「行政協定」を条約の代わりに結んでいます。行政協定は大統領の職務権限の範囲内で結ぶことが可能です。ですので、パリ協定のように与野党の意見が対立する案件については、行政協定で対応がされてきました。

二〇一五年、民主党のオバマ大統領は行政協定によって、パリ協定へのアメリカの参加を決定します。民主党の価値観からすると「気候変動対策を世界中で進める枠組みに参加するのは良いことだ」という話になるのですが、共和党の人たちからは「もはや条約ですらなく、協定なのか、大統領の専横だ」と見えるわけです。条約の締結ならばアメリカ国民が選んだ上院議員が投票行動をしているため、まだマシなのですがそれすらないため不満が溜まります。すると二〇一七年、共和党のトランプ大統領はアメリカがパリ協定を離脱するという考えを示し、二〇二〇年一一月四日、アメリカは正式にパリ協定から離脱をしました。行政協定は大統領の一存で決めることが出来るため、政権交代が起きて大統領が代わると「前大統領によって結ばれた行政協定はやめます」と言えてしまうわけです。その後、二〇二一年から始まった民主党のバイデン大統領は、就任直後の一月二〇日にアメリカのパリ協定への復帰を正式に決定しました。アメリカの価値観の分断が進み過ぎていて、パリ協定に関して大統領が代わる度にアメリカの方向性がコロコロ変わってしまっています。

上院で条約として締結していれば、そう簡単に引っくり返すことは出来ないのですが、行政協定であるために、外国との条約を締結するという安定性がないのです。外国との決め事がセンシティブになればなるほど、より安定性はなくなります。

また、上院では、フィリバスター（長時間の討論により議事進行を意図的に遅延させる行為）によって、議会期終了まで法案審議を引き伸ばして廃案に追い込むことが可能となっています。このためアメリカ国内で価値観が対立するシビアな法律を制定するという話になった時にフィリバスターで妨害をされてしまうのです。クローチャー（討論終結）と呼ばれる決議を行えば、議員の発言時間に制限を設けて、討論を終了させて議決に持ち込むことが出来るのですが、そのためには六〇議席を確保する必要があります。現在は共和党と民主党の上院の議席が拮抗しているため、両党ともに六〇議席を確保することは困難です。ですので、価値観の対立するシビアな法律は全て大統領令で実施するという話になるのです。

大統領令も連邦議会の承認を得ずに実行出来るものですので、大統領が代わると引っくり返されます。二〇二〇年、共和党のトランプ大統領は中国の動画共有アプリTikTokとメッセージアプリ微信（ウィーチャット）のアメリカ国内での使用を大統領令で禁止にしましたが、二〇二一年、民主党のバイデン大統領は、この大統領令を撤回しました。

価値観の分断による本当の問題

大統領の一存で外国との約束を決められるが、大統領が代わると全てが引っくり返される。アメリカの価値観の分断が進むことで起こる問題というのは、アメリカの政治の安定性がなくなるということです。合衆国憲法が設計されたときは、外交や安全保障の政策に関しては、民主的な正統性を踏んだ議論を与野党でして、上院の三分の二の承認が得られる安定した政治が考えられていたと思われます。しかし、その安定性が守られなくなってきています。これが本当の問題です。

「アメリカ国内の分断が進んで隣の人と話が出来なくなった」みたいなニュースばかりが流れていますが、そういう話ではなく、今のアメリカの価値観の分断による本質的な問題の存在を理解いただければと思います。

アメリカの世界観で語る日本の政治家

ここまでアメリカの価値観について解説をしてきましたが、アメリカの価値観、世界観による影響を受けている日本のエスタブリッシュメントの問題についてもお話しします。

日本だけではないのですが、いわゆるエスタブリッシュメントの政治家や官僚の子供はアメリカの有名な大学やシンクタンクに行き、研究員という形で席を置かしてもらいながら、アメリカの学問を最先端なものとして勉強をします。例えば、ジョージタウン大学などに入学し、国家安全保障戦略の役職につい最近まで就いていた人たちが授業をしてくれるわけです。中には日本担当や東アジア担当だった人もいて優しくしてくれます。そして「この先生の言うことは素晴らしい」と思って日本に帰ってくるわけです。これは一体何が問題なのかというと、日本の学問が無いということです。

例えば、最新の外交安全保障についての学問を学んでも、それはアメリカ人の世界観から見た話であり、日本人から見た世界観の話ではありません。日本の学問ではないのです。だから、日本の政治家で安外交安全保障について話をしているときは、日本の安全保障の話ではなく、アメリカの安全保障の話をしていることが結構多いのです。「日米同盟は基軸です」と言いながらアメリカ人の世界観で話す日本の政治家はおかしいのです。最先端の学問ということで、アメリカの学問を学んでくるためにアメリカ人の世界観に染まってしまう。「最先端（アメリカ）の学問はナチュラルに良いものであって、日本も取り入れていくべきだ」という話になってしまい、日本のエスタブリッシュメントは日本人独自の考え方が出来なくなっています。

このような問題は日本だけではなく、世界中の人たちがアメリカで学ぶとそうなるのですが、ヨーロッパの国々の場合、自国の学問が存在しているのでバランスが取れています。日本の場合は学問のレベルが低いというよりも、日本の学問を作る気が日本人には無いと思われます。アメリカの学問を学んで、そのまま日本に輸入をして、まるで日本の安全保障の話をするようにアメリカの安全保障の話をする、というのがまかり通っているのが日本の問題です。

第二章　中国の最優先政策と裏付けとなる価値観

中川コージ

改革開放以前のチャイナの歴史

チャイナ（中国）の価値観とは何かというお話をしていきます。渡瀬先生がお話された共和党と民主党で二つの価値観が大枠としてあるアメリカと、御存じの方も多いかと思いますが、中国共産党が独裁的に執政[*1]をしているチャイナでは価値観の在り方がだいぶ違います。

まずはチャイナの歴史を辿っていきたいのですが、一九四九年から中国共産党が一貫して執政を担っているのが中華人民共和国になります。中国共産党は一九四九年に中華人民共和国を建国するまでは、国家樹立[*2]までを第一目標に動いてきました。その後、手に入れた国家というマシーン[*3]を使って、中国共産党の統治を内側に強めたうえで、世界に中国共産党の権益を広げていくのを第二目標としています。中国共産党にとって近代国家というのはあくまでもマシーンであり、支配する対象という建付けでしかないのです。

党内の内部対立がありながら建国を果たし、革命の第一世代と呼ばれる毛沢東の時代も、しばらくは大躍進政策など政治的な混乱が続いたチャイナですが、鄧小平の改革開放以降は対外交流と物質的成長の段階になります。鄧小平の改革開放以降のチャイナの歴史を見ていくと、基本的に産業経済によって世界の覇権を治めていく、*4という方向に重心が動いていることが分かります。

文革で疲弊しきった国内事情を改善するために、最初の頃の改革開放は国の富みを増やせば政治的な安定性も高められるのではなかろうか、という消極的選択肢としての内政的理由から発した議論でした。その後、経済的に余裕が出てくると「これは軍事だけではなく、経済による権益で世界を統制出来るのでは？」ということに気付いてきた過程があると思われます。

チャイナとは対照的なのが今のロシアであり、ロシアは軍事的に大きな舵を切ることで生き残っていこうとしていると思います。チャイナは一九九一年のソ連崩壊を、軍事大国であっても経済的な問題で凋落をしたことが要因と見ていました。そして、軍事やイデオロギーではなく、むしろ経済の方が遥かに平和的に、チャイナにマイナスとなるコンフリクトがない状態で世界的な権益・覇権を手に入れられるだろうと、徐々に気付いていき、その戦略を正統化していったのが改革開放以降の四〇年間のチャイナの歴史です。

チャイナの思想＝チャイナの政策

チャイナのそもそもの動機とエネルギーの源としているものは何か。中共の根底には「人民のルサンチマンを如何に活用するのか」というものがあります。

「欧米列強に自分たちは食い物にされた」という歴史観をアピールしながら、その反省として、これからの時代を世界各国の影響を受けない形で自分たちが生きていく「それを実現することができる唯一の組織が中共である」という考えです。

「中華」と聞くと、「中華思想」という言葉に代表されるように自然に覇権的・拡張志向があると多くの日本人は考えられると思われますが、それは表面上見えているアウトプット視点の話であって、元をたどった中共のロジックでは、自分たちが拡張することが第一ではなくて、「他の勢力から自分たちが支配されない状況をいかに作るのか」という思想なのです。その現実化が「覇権主義志向」になるのです。その点では、中共のロジックとそれまでのチャイナの王朝にあった中華思想とは表面的な行動は同じようにみえて、根底は異なっている思想と言えるかもしれません。これが今のチャイナの根源的なところにある思想的な設定です。

チャイナの思想の話は重要で、彼らは思想から政策へとつなげていくメカニズム[*5]があります。このメカニズムをやらないと党内闘争で生き残り、党指導部に行くことが出来ないのです。「思想＝政策」というのが完全につながっています。チャイナは思想を直接輸出しているわけではありませんが、思想が国内の段階で政策になり、政策が物理的なパワーとなって、チャイナの思想は世界の政治や経済に影響を拡大していきます。

「両ア決議」…外交的な立ち位置を確保する

米ソ冷戦時代、アメリカとソ連が超大国として君臨し、中ソ関係が悪化していくという状況[*6]でチャイナが最初に取った政策に、国連での「アルバニア決議」と呼ばれるものがあります。「アルバニア決議」とは、一九七一年一〇月二五日[*7]に国連で採択された国連総会第二七五八号決議のことを指します。国連における「中国代表権問題」について処理をしたものであり、この決議により中華人民共和国が中華民国に替わって国連の活動に参加するようになりました。*8

チャイナでは「アルバニア決議」とは言わずに「両ア決議」と呼んでいます。元々は共産主義国同士で仲が良かったのですが、アルバニアは革命が発生して民主化してしまったため、アルバニアと共に決議を共同提案した二三カ国の一つであるアルジェリアと併せて「両ア決議」と呼ぶようになりました。

「両ア決議」によって中華人民共和国は中華民国に代わって、国連で「一つの中国」に対する正当な立ち位置を確保しました。*9 チャイナは政治的・外交的な立ち位置を「両ア決議」から五〇年間、経済的な立ち位置を改革開放から四〇年間、それぞれ歴史を経て今があるという形になります。

「カウンター大西洋憲章体制」…チャイナの民主主義

チャイナは外交的な立ち位置を確保しましたが、米ソ冷戦終結とともに、長期的にアメリカにどう具体的に対峙していくのかという新たな課題[10]に直面します。まずは自分たちの正統性のロジックをさらに積み上げていかなければいけません。そこで「大西洋憲章体制」に対する疑義をチャイナは呈していきます。

大西洋憲章は、一九四一年八月一四日に発表されたイギリスとアメリカによる世界政治に対する原則の共同宣言のことで、国連憲章の基礎となったものです。これに対してチャイナは「大西洋憲章は、第二次世界大戦の戦勝国であるチャイナなどが含まれていませんよね？」「大西洋憲章を基にして、特定の大国が世界の制度を構築するのは歪んだ状態ですよね？」という思想戦を仕掛けていくのです。ナラティブと言いますが、自分とは切り離して客観的に問題を捉えて、一つの事象に対して別解を導き出すのです。「大西洋憲章をこう別解釈するべきなのではないか」ということを主張していきます。

この「カウンター大西洋憲章体制」をチャイナがより強く主張し始めたのは、ここ五年～一〇年ぐらい前からになります。何故かというと、我々の尊ぶ民主的価値観が一〇年～

二〇年で落ちてきてしまっているためです。テロの脅威や政治的な混乱がアメリカやイギリスで発生して、民主的価値の低下が形として表れてきました。そうするとチャイナは民主政治の凋落を見切った上で、今までひた隠しにしてきた[11]「大西洋憲章体制」に対するカウンターを出すようになってきたのです。

例えば、二〇二一年三月一八日の米中外交トップ会談にて、チャイナの楊潔篪《ようけつち》党中央政治局委員はアメリカのブリンケン国務長官に対して「アメリカの民主主義が存在すれば、チャイナの民主主義も存在する」と発言をしました。我々からすると「何を言ってるのだ」と顔をしかめると思われますが、彼ら（チャイナの意思決定層）はそのように考えており、この発言はナショナリズムを強めることにも利用しています。さらに、他の専制国家や強権的な国家は「アメリカの民主主義はなんか違うよね。うちの国には適用できないよね」と考えて、チャイナ流の民主に共感をしてしまうことも少なくありません。冷戦後、数十年が経過して（我々西洋的概念としての）民主主義の価値観が輝きを失う中でチャイナが「その国ごとの民主主義」を主張し始めたのです。[12]

「南南協力」…チャイナは途上国の盟主？

そして、チャイナの政治的立ち位置の一つである「カウンター大西洋憲章体制」という大きな枠組みから出てくるものに「南南協力」があります。

南南協力とは、先進国（北）と途上国（南）という経済格差から生じる「南北問題」から転じて、途上国同士（南南）の協力関係を表しています。この協力関係をチャイナは非常に重視しており、G7を含めた経済的な先進諸国ではない国々の連携を図っていくことで「世界は先進国だけのものではない」と定義付ける外交力の源泉としています。また、国連の場で議決（途上国も先進国も分け隔てなく一票である多数決）を含め、国際的な協力を得やすくする提唱が南南協力になります。

また、南南協力のポイントは対米牽制に利用が出来ることです。アメリカが「南」の途上国に対して途上国支援を行おうとしても「北（先進国）の代表であるアメリカが、南（途上国）に支援するのは上下関係を作る目的があるのではないか」という批判ロジックにすり替えられるわけです。

チャイナは世界第二位のGDPを誇る経済大国でありながら自分たちを「南」の途上国だと主張し続けるのは、名目上は並列的立場の南南協力という枠組みの上で、「途上国の盟主になる」ことを目論んでいるためです。

政治的な概念としては「カウンター大西洋憲章体制」というロジックをかまえて、その下に具体的手段として南南協力があるのです。

ワシントン・コンセンサスへの疑義と活用

チャイナは政治的な対米批判のロジックとして「カウンター大西洋憲章体制」を利用していますが、経済的な対米批判のロジックでは「ワシントン・コンセンサス」への疑義を利用しています。

ワシントン・コンセンサスは、前世紀の冷戦終結後にアメリカを中心とした先進国で合意形成された[*13]自由主義思想であり、覇権主義であるとチャイナは言います。ワシントン・コンセンサスは小さな政府を目指していく概念で、自由な市場メカニズムを重視し、規制を緩和する思想です。この思想をチャイナは、新しい時代のグローバルガバナンスにとっての敵であり守旧派であると疑義を呈して、チャイナ式の経済ロジックを進めようとしているのです。これが「カウンターワシントン・コンセンサス」です。

とはいうものの、チャイナは、自由経済を進めてグローバル化が進めば進むほど人口や産業市場で優位なことも含めて、自然にチャイナにリソースが集まると知った上でグローバル経済を進めている部分があります。

チャイナは、ワシントン・コンセンサスに疑義を呈しながらも、ワシントン・コンセンサス的なグローバル化を進めています。同時に、ワシントン・コンセンサス的な小さな政府だけが正当な存在ではない、と主張しています。この辺に関しては彼らの批判論理が精彩を欠く部分と言えます。*14

大西洋憲章体制を批判しながらも国連は活用するチャイナ

「カウンター大西洋憲章体制」「カウンターワシントン・コンセンサス」*15を使うことで、先進国によって国際的に築かれた秩序を自分たちにとって都合の良い枠組みに変えていこうとチャイナは動いています。そこで面白いのが「カウンター大西洋憲章体制」と言いながらもチャイナは国連を重視しているところです。

大西洋憲章は国連憲章の基礎となったものと先程お話ししましたが、チャイナの中で大西洋憲章体制と国連の体制は全く別物の概念であるらしく「国連体制[*16]を重視してきましょう」という形になっています。

例えば国連のＷＨＯ（世界保健機関）などの専門機関に、チャイナにつながる事務局長を据える動きがあります。コロナ禍で「ＷＨＯはチャイナの傀儡だ」みたいなことも言われていますけれども、チャイナはまずポジション、具体的に且つ現実的な立ち位置を確保しようと動いているのです。ここ何十年間もチャイナはポジション確保を繰り返して、結果的に蓋を開けてみたら多くの国連専門機関で完全に中国籍の人物、もしくはいわゆるチャイナ派と呼ばれる人がトップなり、幹部の席を取っています。国連がチャイナの資本及び人的リソースに押さえられている状況が出てきているのです。

そして、チャイナは国連を使って色んな形で外交を進めています。地域紛争が発生した場合にチャイナとしては肩入れをしたくない、もしくは地域紛争の問題を起こしている側に肩入れをしたい時にも、敢えてチャイナが話を直接するのではなく「国連によって解決すべきだ」と棚上げにしてしまうのです。

例えば、今ちょうどウクライナに軍事圧力をかけるロシアに関して、チャイナとしては国連憲章に諮って、「国連の場で平和的に解決されることが望ましい」という立場を表明することで、紛争が続いても当事者同士の問題にして自分たちは逃げられる。紛争が収まったとしたら「国連が機能したね」という立場になれるので、チャイナは国連というシステムを外交のツールとして最大限利用しつくしていると思われます。

「共商・共建・共享」…ワシントン・コンセンサスに代わる概念？

カウンターワシントン・コンセンサスに対抗する概念としてチャイナは「三つの共」を提示しています。これは「共商・共建・共享」の事を表しており、習近平国家主席の外交ビジョン的な裏テーマです。非常に野心的な話であるので表にはあまり出てきません。色んな談話には出てきますが。
「共商・共建・共享」は何かというと、相互尊重をしながら多方面にわたる利益と関心に配慮し、ものごとを解決していくために「お互いに話し合いましょう」というのが「共商」、各国の共同参加でガバナンスシステムの柔軟性を追求して「お互いに創り上げげましょう」というのが「共建」、各国が「お互いに利益を享受しましょう」というのが「共享」です。

一見聞くと「お互いに話し合いながら、お互いに創り上げて、お互いに利益を取りましょう」と良さそうな話なのですが、まさにこれが南南協力につながってくるロジックなのです。多国間フレームワークではなくて一対一、もしくは一対数個の国という概念で動いているのが南南協力です。当然ながらチャイナに勝てる人口規模、経済規模の国はないため自然と大国と小国の関係が生まれて、主従関係のようになるのです。

「共」という概念を使っているのですが、実はチャイナが上に立つ概念であり、チャイナが「カウンター大西洋憲章体制」において批判している先進国（北）と途上国（南）の経済格差問題「南北問題」の概念に近いような事実上の上下関係構築を、南南協力というオブラートに包んでチャイナ自身がやっているのです。

「三つの共」というのは、「中国と貴国は対等ですよ」と言いながら、自分たちが圧倒的な上に立つということを仕掛ける概念で、一国ないしは複数国と対峙をすることで各個撃破し、全ての国をチャイナの影響力の下に入れていくということを意味します。一カ国ずつチャイナの傘下に入れていけば、「グローバル化した時に世界各国がチャイナの下に入るでしょう」というのが「三つの共」の概念で、何段階か頭を巡らせないと分からない感じで複雑ですが、非常に重要な習近平思想の一つだと思います。

胡錦濤[*17]総書記の時代はあまり言われていない概念なので、習近平氏が好きな概念なのでしょう。「カウンター大西洋憲章体制」「カウンターワシントン・コンセンサス」というのは習近平総書記時代より前から言われていたのですが、習近平体制になってから「三つの共」という思想が出てくるようになって、中共の価値観の基となる思想が強化されたと思われます。単純に「中華思想だから全体が～」という話ではなくて、具体的にどういう風なスキームでやるのかという話が「三つの共」には含まれています。

チャイナの経済発展を支える仕組み

救国シンクタンクフォーラム「大国のハイブリッドストラグル」においては、登壇者がそれぞれ世界地図に、重要だと考える地域*18を取り上げました。こちらで挙げたチャイナに関する重点地域について話をしていきたいと思います。チャイナは経済によって世界的覇権を取ろうという考えがありますので、その大前提で内政面としてチャイナの国内産業をいかに伸ばしていくのか、という所がポイントになってきます。

チャイナは国内産業を伸ばすというときに経済特区を設けて成功させた事例がります。例えば、改革開放政策として、一九八〇年八月二六日に広東省の深圳市は経済特区の一つに指定されました。元々、小さな集落のような場所だった深圳市は人口一千三百万人の国際都市に発展し、国家主導の経済特区による経済発展の第一陣は成功したと言えます。

さらに国内産業をいかに伸ばしていくのかを考えると、高利益率、高生産性という産業構造の転換が必要になってくる。これはチャイナに限らず、どこの先進国も抱えている、

「いかに利益のある産業にシフトしていくのか」という問題になります。ですが、チャイナには強みがあり、[19]産業の構造転換自体も中国共産党の強権によってガンガン進めていくことが出来るのです。

例えば日本の場合は古い産業が残っていても、古い産業に従事する人の財産権もあるため、当然ながら古い産業という理由で潰すわけにもいかないので「どうしましょうか」と停滞してしまいます。ですがチャイナの場合、中国国家発展改革委員会などの中央機関が国内産業の構造の調整に向けて、「奨励」、「制限」、「淘汰」していく産業に関する詳細なリストを公表することもあるのです。当局が直接的に手を下して淘汰するのではなく「淘汰していく産業」を当局が公表すれば、産業への投資が減少して[20]自然に産業は淘汰されます。このように半ば強権的に産業構造を転換していくところは、人民は幸せか不幸かという観点は別にすれば、国家全体としては非常に合理的で強い仕組みであると言えます。

チャイナは体制上の強みを活かして合理的に当局主導の産業構造の転換を進めていますが、彼らは産業構造の転換の中でイノベーションにも取り組んでいます。とりわけハイテク、金融などの産業に関しての投資が強いです。この投資も一朝一夕に始まったわけではなくて、八〇年代、九〇年代の改革開放直後から「情報化」がこれからの社会に重要であると考えて投資をしてきた結果です。現在は、アメリカのGAFA（Google、Apple、Facebook、Amazon）＋マイクロソフトに加えて、チャイナのBATJ[*21]（百度〈バイドゥ〉、アリババ集団、騰訊控股〈テンセント〉、京東集団〈JDドットコム〉）のような強いプラットフォーマーが出てきています。

「グレーターベイエリア構想」…東京を上回るメガロポリス

BATJという強いプラットフォーマーが誕生しましたが、さらに巨大な範囲で、世界に向けた政治主導のイノベーションをどのようにやっていくのか、というときに出てきたのが「グレーターベイエリア構想[*22]（粤港澳大湾区）」です。広州、深圳、香港、マカオといった都市から構成される世界有数のベイエリアとして産業発展させる構想で、二〇一七年からスタートしました。グレーターベイエリアの中核都市が集まり欧米のメガロポリスを超える、世界最大の商工業クラスターを作り上げるチャイナの大野望になります。

深圳はテック産業、ハイテク産業があり、香港は金融の世界的な仲介ハブになっており、広州は自由貿易試験区で物流を押さえます。グレーターベイエリアには、ハイテク産業から金融、貿易まで全てが入っているのです。東京よりも大きい人口、GDPを最初から設定した上で、さらにGDPを数一〇%、もしくは二倍、三倍に伸ばしていこうとする構想がグレーターベイエリアになります。

日本経済は東京一極集中と言われますが、少なくとも東京[*23]があることで日本全体も潤っているというメガロポリスの概念があると思います。チャイナもグレーターベイエリア構想に基づいて、広州、深圳、香港、マカオのような巨大産業クラスターが分かれているのをひとまとめにして機能をつなげることで、東京を超えた規模のメガロポリスを作ろうとしています。

グレーターベイエリア構想がエンジンとして駆動し出すと、世界的にNo．1、No．2の地位を占めている東京は、将来的にグレーターベイエリアにアジアの中でNo．1の座を奪われるかもしれません。日本としては北京や上海だけではなく、グレーターベイエリアが本当の競合相手になっていくのを見ておく必要があります。自由で開かれた法制度があるので日本の方が強いという見方もありますが、ビジネスの世界なので、国内市場規模などトータルで判断してどちらの方に強みがあるのかといった相対評価が重要になります。「アジアのヘッドクォーターをどこに置こうか」という話が出たときに、産業上の有機的なつながりがあるグレーターベイエリアは十分に強くなってくる可能性があるのではないかと思います。

グレーターベイエリア構想が始まったのは二〇一〇年代ですので、歴史としてはまだまだ浅いのですが、二〇二二年の時点で東京と並ぶぐらいの経済規模に発展しています。ここから二〇二〇年代、二〇三〇年代の発展を考えると日本にとっては脅威となる競争相手でしょう。中国共産党としてはグレーターベイエリアをエンジンにして中華人民共和国を引っ張っていこうと考えていますが、グレーターベイエリアだけではなく、チャイナ各地[*24]に人口的にもGDP的にも巨大な産業クラスターを作っているのがポイントです。日本の場合は経済特区を設置しても、それぞれの地方自治体が横並びになりがちなのですが、チャイナの場合は中国共産党がコーディネーションして都市ごとにカラーを分けていきます。

「貴安新区」…中国共産党による都市コーディネーション

例えば、貴州省に貴安新区という産業クラスターがあります。新区（国家級新区）というのは国の特別な優遇政策を受けられる地域であり、貴安新区の場合は世界最多の超大規模データセンターを持つ地域になっています。貴州省の省都は牧歌的で風光明媚な貴陽市という都市です。第二の都市は遵義市というのですが、この二つの都市は貧困都市とまでは言わないものの、省都としては経済発展が遅れた、あまりパッとしない都市でした。ですが、ここ数年はチャイナの都市成長率ランキングで貴陽市と遵義市は北京や上海よりも年間GDP成長率を上回り全国一位、二位を記録する都市になっています。[*25]

何故これほどの経済成長を遂げたのかというと、貴安新区は山間部で自然災害が少なく、電力が安く安定性があるなど、風光明媚な立地が強みとなり、データセンターを誘致できたためです。そのため、サーバーを中心としたクラウドコンピューティングの中心地として経済発展が進み、チャイナの三大キャリア、中国聯通（チャイナ・ユニコム）、中国電信（チャイナ・テレコム）、中国移動（チャイナ・モバイル）も貴安新区にデータセンターを集約させたりしています。チャイナのテック産業を牽引する国家的な中核地域になっているのです。

チャイナのような巨大スケールの経済特区が日本にあるのかと考えると中々難しいです。日本の場合は、企業ごとにそれぞれの計算に基づいて事業に最適な都市を考えているため、国家として「この産業は、全面的にこの都市に集中させる」というのはありません。チャイナのようにきちんと産業中核地域を決めた方が、連携メリット、スケールメリットなどが出てくることもあります。[*26] スケールメリットという点で貴安新区というのは非常に上手くいった産業クラスターになります。

「雄安新区」…電脳化都市を創り上げる

二〇一七年四月一日、習近平指導部によって新たな戦略特区として雄安新区が設置されました。雄安新区は自動運転などのＡＩ産業の中心地にすることを目的にした新区で、エッジコンピューティングやクラウドコンピューティングの中心と言われており、イメージとしては都市全体が電脳化されているという感じです。

ＡＩによる都市交通管制システムが作られて、自動運転の車が街中を走ったり、あらゆる所で末端の消費者生活シーンまで含めてＡＩ化が進められています。チャイナは雄安新区という戦略特区を使って、実証実験のレベルではなくて生活に根付いたＡＩ、コンピューター都市というのを実際に創り上げています。政治体制上、こういった設計を出来るという強みを存分に発揮して都市開発をしているのです。

ちなみに都市開発に関する面白い話として、日本では「チャイナの立ち退きは個人の財産が保障をされずに強制的に行われて大変だ」と昔から思われているのですが、現在のチャイナにおける立ち退きでは、しっかりと補償が出されているのです。昔は「拆（チャーイ）」という字が街中に書かれると、「ここら辺は全部取壊します」とされて、立ち退きをさせられる人たちは可哀そうという感じでした。ですが、今の立ち退きでは十分に補償金も支払われるため「立ち退きする人たちは、だいぶ儲かっているね」という見方をされるようになっています。日本では民衆から不満が出るような都市開発だと穿った見方がありそうですが、実は福利厚生も含めて結構きちんとやっているのがチャイナの現状です。

大きな政府の下に小さな政府を創り上げる

末端的な具体例を挙げてきましたが、チャイナは産業特区をきちんと設定して、住人たちにも補償を行い、その地域に関しては規制緩和や税制優遇もして結果を出しているのです。中華人民共和国内のサンドボックスとして「小さな国と小さな政府」を産業特区として創り上げていくイメージです。「一番上のレベルで大きな政府（中国共産党）が統括管理をしていれば、特区としては小さな政府で運用しても良いだろう」というように二重構造を働かせているのがポイントです。小さいとは言っても数百万人から数千万人規模の特区なので、小規模国家といえる運営をしています。

尚且つ、小さな国家である特区のリーダーは、将来的に中共中央のポジションを狙えるようになります。各地区リーダー同士は死に物狂いで都市発展競争[*27]をしていきます。競争をしてしっかりと結果を出さなければ、そのリーダーは出世が出来ないため、政治家として特区のリーダーはちゃんと働くことになります。経済的にもオーソドックスな小さな政府の発展の仕方をやっていて、政治的にもリーダー同士の出世競争があり、滞留が発生しない。中国共産党は単なる腐敗が蔓延する組織ではなくて、競争原理がしっかりと働いている。今や非常に強い仕組みが備わっている組織なのです。*28

中国共産党も数十年間に渡ってこの仕組みが実現するとは思ってなかったはずで、昔から理路整然とした計画があったわけではなく、多分たまたまできたのでしょう。上手くこの型がはまり、このやり方がベストプラクティスということを学んでいった。共産主義イデオロギーから導き出したのではなく、改革開放後に試行錯誤をしながら、特区という形で小さな政府を作り、「特区同士で競争させることが良いのでは？」と気づいた、という感じだと思われます。

反面教師のような形で日本を例に挙げるのは残念ですが、○○県の○○市の市長さんと△△県の△△市の市長さんが同じような政策をしている自治体があったとして、それぞれの市の行政評価が相対比較されて二人の市長さんが政治成果を競争していく、というのが日本にはありません。これでは、それぞれの行政運営が上手くいっているのか否かが分からないままになります。

共産主義は競争原理が働かないで腐敗すると言われていますが、実は相当熾烈な競争原理が働いているのが中国共産党内部[29]で、チャイナの経済構造にも機能しています。経済的には小さな政府をクラスター的に作りつつ、政治的にはリーダー同士が競争をしている、という状況を把握しておくと、どうしてチャイナでイノベーションが起きやすくなっていて、少なくとも現在までそれなりに上手く発展してきたのかが見えてきます。もちろん今後も上手くいくのかは彼らも分からないですし、我々も分析のしようがないですが、少なくとも現在の仕組みが、それなりに上手く回っているのが彼らの経済的な力の源泉であると言えます。

チャイナから見たロシアによるウクライナ侵攻について（二〇二二年二月二四日時点）

チャイナにとってウクライナは一帯一路の重要な拠点の一つで、チャイナもウクライナに十分な経済投資をしているので、軍事的な紛争が発生するマイナスな事態は、当然避けた方が良いだろうと考えていたと思われます。ただ、別のファクターとして国連安保理常任理事国でもあるロシアという国の主権と政権意思の尊重を考えれば、チャイナはプーチン政権側の意向も無下にはできないといえます。ロシアを利用して対米外交のツールにもなるので、ウクライナ侵攻を容認するかどうかのプラスマイナスを計り兼ねていたと思います。ロシアによるウクライナ侵攻が始まるまでは。

二〇二二年二月四日、北京冬季オリンピックの開会式当日に中露首脳会談が実施されました。習近平国家主席とウラジミール・プーチン大統領の会談の中で注目すべきなのは「四つの相互堅強支持コンセンサス」が改めて確認されたことです。このコンセンサスは「中露双方の主権を尊重して干渉をしないよ」という内容です。僕は勝手に「お互い知らんがなコンセンサス」と呼んでいますが、この発表により、実はロシアのウクライナ侵攻の蓋然性*30はグッと上がっていました。

ロシア側としてはチャイナがウクライナ問題に関して「知らんがな」と言ってくれた、という公的な確証を得ます。二月四日の中露首脳会談まではチャイナがロシア支持なのか、中立に動くのか、欧米と足並みを揃えて抑制的な形になっていくのかが結構曖昧だったのですが、そこは少なくとも中露首脳会談で確定的になったのです。

「知らんがな」と話合ったのならば、おそらく「いつやるのか」までは話されたと思います。チャイナ側から発表された会談内容には当然出てきませんが。ひとつ非公開情報ながら面白い話をしておきます。僕や知人が直接的にも間接的にも連絡をうけたのですが、チャイナの宣伝当局に属する広報の担当者と色々と話をしていくと北京冬季オリンピックに対して物凄い対外宣伝投資をしていることが分かりました。これは日本の行政もやったようなオリンピックの文化振興的なマイルドな広報イメージとは全く違っていて、中国共産党の内部的な意思決定を通じて、国家的イベントとしてあらゆるメディアを使った宣伝を重視する姿勢が垣間見えました。日本の政治の熱量の数百倍レベルでヒトモノカネをオリパラ宣伝に投じていたような肌感覚です。

チャイナにとって、国を挙げて盛り上げている北京冬季オリンピックに対してミソが付くようなことは嬉しくありません。習近平氏トップ自らも音頭を取っていたオリパラでのミスは総書記のメンツ、ひいては中共の正統性メンツにまで影響を与えるものだったのです。ですから、さすがに公開ステートメントには表現されませんでしたが、ロシアによるウクライナ侵攻が決定しているのであれば少なくともオリンピック期間中は避けた方が良い、という話は中露首脳会談でされたかも知れません。

なので、この中露首脳会談におけるポイントとして、一つ目はチャイナがウクライナ問題について「知らんがな」と立場を表明した。二つ目は「いつやるのか」ということに関して、オリンピック開催中の期間は外しましょう、と話合った可能性があることです。

ロシア側の意向とは全く別にしてチャイナ側としてウクライナ問題を見た場合には、この二点、プーチン大統領が勝手に動くことに関しては自由で、「いつやるのか」に関してはオリンピック閉会後、パラリンピック開会前というのは何となく見えていました。尚且つ、ロシアによるウクライナ侵攻が発生した時点（二〇二二年二月二四日）での一場面。二四日、中国外務省の華春瑩報道官の定例記者会見で一番目にきた話が、平和云々ではなくて、一方的な対露制裁には反対である、というのが最も目立つ話です。「アメリカによる一方的な経済制裁に対して反対である」ということを平和や戦争の話よりも第一に持って来ている。これがチャイナの価値観、チャイナによる批判の方向性になります。ロシアによる軍事侵攻ではなく「米国を中心とした一方的で横暴な、国連を通さない」経済制裁を批判し、反対をしているのです。

では、軍事侵略に関してチャイナは何を言っているのか。チャイナは国連の安保理、国連憲章に従って解決すべき問題という立場です。ロシアによるウクライナ侵略は「国連で解決すべき問題ですよね」というように棚上げにして、チャイナは中立的な立場[*31]を示しています。

ウクライナ問題に関してチャイナは、経済制裁についてアメリカを批判し、軍事面では国連に問題を棚上げして中立の立場を取ろうとしているのが現在のチャイナになります。チャイナは本質的にはロシアに積極的な肩入れをしていません[*32]が、チャイナ自身の動機として間接的にアメリカを叩くことになりましたから、それは国際社会での立ち回りに苦慮するロシアに対する一つの助け舟にもなったという側面はあります。

＊1　国家としての中華人民共和国は、事実上のプロレタリア独裁であって、中国共産党以外の執政が憲法上も否定されています。とはいえ中共以外の衛星政党（民主党派）も中共の是認の下で存在していて、ヘゲモニー政党制といわれます。端的に言えば一党独裁と言っても間違い

ではありません。
＊2　プロレタリア革命による、人民政府設置のことです。
＊3　マシーンは使役するものであって、使用者に対して立てつきません。だからマシーンと表現しています。
＊4　ソ連の失敗からイデオロギーの輸出による世界覇権を狙おうとしないことや党内腐敗をいかに撲滅していくかを学び、中越戦争の教訓から軍事的なゴリ押しのコスパの悪さを学んだことは大きな影響を与えました。これによって産業経済を極めて比重の大きな第一の世界覇権奪取ツールにしようと党内で合意形成が図られていくことになります。
＊5　思想こそが政治であり、思想が政策をうみだす、と考えています。政治家は政策実現力も能力ではありますが、上層部にいくほど思想の言語化や自己批判、他己批判が党内の政治力につながってきます。
＊6　いわゆる「敵の敵は味方」の構図。米ソと中ソが対立をしていたので、米中が「共通の敵＝ソ連」として利害一致をみたというものになります。
＊7　本文に出てくる日付は、講演では詳細に語っていない部分を加筆しています。月はともかく日まで頭に入れられていないものも多いですよ（正直言っておきます）。
＊8　もちろんチャイナ側は公式には「対アルバニア関係に問題があったため両ア決議と称している」などとは主張していません。ただし、アルバニア決議と呼ぶことを忌避していることは各所で観測されます。実際に、僕もチャイナの官製メディアで「アルバニア決議」と表現したら、明確に「両ア決議」に変更依頼がとんできました（実話）。

*9　厳密には「国連での中国代表権を台北から北京が奪取し、その権利の上で中華人民共和国が一方的に国際社会に主張する一つの中国原則」となります。二〇二二年現在、台湾（台北）と国交ある国家もまだ世界に存在するので、「一つの中国原則」が絶対的な国際合意に至ったわけではありませんが、アルバニア決議以来、台湾に替わって中華人民共和国と国交を結び国家承認・当該原則を認知する国家が急増した歴史的経緯があります。「一つの中国原則」は国連システムによって補強された概念であることは異論の余地なく、チャイナ側はこの外交資源を活用して、他国に（台湾を排除した）排他的な国交関係樹立を迫ることになりました。

*10　もとより、毛沢東の時代から米国との競争は規路線でありましたが、当初はチャイナの国力も脆弱だったため、米国にたてつくよりも友好的になることで生存空間を生み出しました。ソ連崩壊でフェーズが変わりました。

*11　隠してきただけではなく、チャイナは前世紀末までは自分たちの政治体制に自信がなかったとも言えます。自己の相対的な強みを対リーマンショックでも、対テロでも認識するようになりました。

*12　チャイナは「民主」という言葉が好きです。党内の熾烈な政治闘争も「党内民主」という言葉で表現します。マイルドな合意形成もバッチバチの政局も、直接民主も間接民主も、多数決も全会一致も、万能ワードの「民主」にしてしまうようです。だから、「民主にも色々ありましてぇ、アメリカさんの民主もいいんですが、中国の民主ってものは…」と大真面目に語るのは、そういった中共文学の影響を受けているとも言えます。これに反論しようものならば、「あんたはdemocracy（英語）でしょ、こちらは民主（チャイ語）なのよ」と言語概念の差を

言い返してきそうです。

＊13　チャイナ側は、ワシントン・コンセンサスの内容云々への批判よりも、その経済思想を米国が他国に強権的に輸出していることに対する批判が先立っています。

＊14　ワシントン・コンセンサスの一部である産業経済グローバリゼーションはチャイナも大いに活用しながら、一方で小さな政府という政治的理念（具体的には国営企業の全面的な民営化など）は排除する傾向にあるため、チャイナは全面的にワシントン・コンセンサスに反対する立場（カウンターワシントン・コンセンサス）というよりも、「ワシントン・コンセンサス修正派」である、と表現したほうが良いかもしれない、とは思っています。

＊15　「ワシントン・コンセンサス修正派」に読み替えてもよいです。

＊16　ほぼ同義ではありますが、チャイナは「国連体制の重視」よりも、「国連憲章を尊重」という言葉をよく使いますので、国連憲章を尊重しながら国連体制を変革させていく国連改革のような議論には乗っかる議論余地があると、僕はみています。

＊17　今から振り返れば、胡錦涛氏は深謀遠慮というよりも、真正面からリベラルな正義を押し通す手法だったので、チャイナの動きはみえやすいものでした。一方で、習近平氏は毛沢東のように、いくつかのステルス駒やデコイを仕込ませて、遅効性のウィルスを拡散させて発症せしむるような、高度な世界ハッキング能力をもっているようなイメージをもっています。良い悪いは別にしまして。

＊18　各登壇者に厳選した二個所を挙げていただきました。

＊19　強みを話していますが、腐敗増大や住民感情無視といった「弱み」も、もちろんあります。

＊20　投資家が委縮して、と言ったほうがよいかもしれません。
＊21　「BAT」に加えて、ファーウェイ華為（Huawei）を入れた「BATH」や、音声ＡＩの科大訊飛（iFLYTEK）、顔認識ＡＩの商湯科技（SenseTime）を入れた「BATIS」など、各サービス領域でグルーピングした巨大ハイテク企業のイニシャル呼称もある。
＊22　チャイ語で「粤港澳大湾区」と言います。粤＝広州、港＝香港、澳＝マカオ、大湾区＝グレーターベイエリア、です。
＊23　グレーターベイエリアは、最終的には日本の首都圏や米国サンフランシスコ・ニューヨークなどのメガロポリスを余裕で超えるだけの成長余剰をもって設定されています。今後どうなるかはともかくとして、政策的にはそれが企図された大風呂敷です。
＊24　上海経済圏は日本でも有名なクラスターですが、それ以外にも新しく勃興した貴州省の貴安新区クラスター、河北省の都市電脳で有名な雄安新区クラスターなど。次の段で詳しく語っています。
＊25　とはいえ、北京や上海は常に上位ツートップの発展都市であって、すでに発展しているからこそ成長率が劇的ではないというだけの話ではありります。
＊26　チャイナの産業誘致政策がすべてうまくいっているなんてことは当然なく、死屍累々の失敗政策があって、一〇〇案件のうちいくつかが爆発ヒットを飛ばしたりしています。政府主導産業振興の功罪はさまざまですが、ベンチャー投資的な確率論でとらえる方法、多数の死亡案件をわずかなホームラン案件で十分にカバーする、という手法は、これまでのところある程度の成果をおさめています。この失敗を恐れぬやり方は、民主主義国の政策では実施が難しいと

も言えます。

＊27　大躍進政策の時代のように、嘘や虚偽の報告を上にあげるなんてことは、それほど簡単にできません。仮に虚偽報告や汚職をすれば、すぐにばれる仕組みを、党上層部は「紀律監察組」というシステムを持ってます。もちろん、それでも各地で官僚政治家腐敗はなくなりませんが、大規模特区では上からの監視も厳しいので抜け穴は少なくなっています。

＊28　「組織なのです」みたいに断定していますが、紆余曲折あって、たまたまこの姿に行き着いたというだけの話ではあります。激しい党内闘争の結果、利害調整をするシステムが生み出されてきた、といったイメージです。

＊29　日本では、自由民主主義と権威主義と分けたうえで、権威主義が社会発展すれば自由民主主義になっていくという線形発展の考えが根強いものですが、それは我々の希望的観測やエゴかもしれません。それよりも現実的には、これらの主義はそれぞれメリットとデメリットがある線形発展に無いものと考えたほうがよさそうです。そして、問題は、チャイナは権威主義レベル一のスタートから今はレベル五くらいまでに成熟して、残念ながら縁故門閥主義が跋扈する日本の現状は民主主義レベル三くらいに停滞している、と考えるとしっくりきます。つまり、体制は違えどもレベル五とレベル三が競争しているような想定です。僕自身は自由民主主義を愛する人間ですが、国家間競争の本質は権威主義であるべきか民主主義であるべきか、ではなく、いずれの体制であってもレベルを上げることなのでは、と。

＊30　日本国内でも軍事侵攻前夜当時は「ロシアはどう考えている?」という文脈での報道や論考が多かったものですが、チャイナの言動に関するインテリジェンス精度を高めておけば、ロ

シアの動きを事前にある程度読めたともいえます。少なくとも、侵攻するのかしないのか、という蓋然性判断に対して、精度をあげられたはずです。本件に限らず、日本があらゆる世界情勢に影響を与えるチャイナファクターの分析解像度を上げておくことは本当に重要です。

＊31　宇露戦争開始時点では、チャイナはチャイナ自身の「中立ロジック（第三国による一方的制裁反対。優先すべきは当事者国だけでの妥結。国連憲章を通じた紛争解決重視。）」を構築することに必死だったように思います。侵攻から一か月強が経過し、いまやそこそこチャイナ的中立という概念が国際的に容認されるようになった環境をみながら、チャイナはこの「中立ロジック」を他国、たとえば南アフリカなどに輸出する戦術です。そして、世界で「中立（実際には反米のすり替え）の盟主」になるという戦略に切り替え始めた様子がうかがえます。宇露戦争もまた、反米勢力結集の肥やしにしようという意図です。紅い方程式発動といったところです。

＊32　日本では、中露権威主義国蜜月連携といった論がまだありますが、実際にはチャイナにとってロシアがどうなろうと、さほど問題ではなく、チャイナは自己目的を達成するためにロシアを支援したり蹴り上げたりしています。

第三章　ロシアの最優先政策と裏付けとなる価値観

小泉　悠

ロシア人が持つ三つの国家像

東京大学先端科学技術研究センターの小泉悠でございます。これからロシアが重視している価値観についてお話をしていくのですが、これには対外的な価値観と内面的な価値観の二つがあると思います。まずは対外的なロシアの価値観をお話ししていきます。

日本人が「対外的」という言葉を聞くとグローバルな考え方になるかと思うのですが、「対外的」という言葉を聞いたロシア人の頭の中に思い浮かんでくるのは、陸続きで繋がっている旧ソ連圏の国々、ついこの間まで同じ国だった、ロシア語が通じる地域のことではないでしょうか。ロシア人はソ連崩壊後の三〇年間に渡って「対外的」な問題として旧ソ連圏の国々の扱いに悩んできました。

図式的にいうと、ロシアには「西欧志向」「帝国志向」「大国志向」という三つの国家像がありました。

まず、西欧志向というのはアメリカを中心とする西側諸国の価値観や制度への統合や、ソ連崩壊後の新興独立国の主権を尊重する傾向などが特徴としてあります。我々、日本人とも話が通じそうな、リベラルな国際派みたいな人たちです。ただ、残念ながら彼らの声は非常に小さいです。そんなに大きくはありません。

帝国志向は、「ロシアが伝統的にユーラシア大陸内で持っていた勢力圏をもう一回取り戻すべきだ」という考え方です。帝国志向の国家観では、旧ソ連圏の新興独立国に残るロシア系住民、ロシア語話者、スラヴ系諸民族（ベラルーシ人やウクライナ人など「ロシアの民」と一括りにされる人々）などのエスニック集団にも、ロシアの主権が適用されるべきと考えられています。要するに「ロシアこそがユーラシア大陸の盟主である」ということです。「ユーラシア大陸は必ずロシア正教とロシア語が支配する世界になっていく」みたいなことを考えるのです。顕著なのが、哲学者アレクサンドル・ドゥーギンのような民族主義的な思想家です。他方で帝国志向の人たちはやはり非常に極端な存在です。そんなに数も多くはありません。

ロシアにおいてボリュームゾーンを占めているマジョリティは、帝国志向と西欧志向の間ぐらいの大国志向という考え方です。「我々は近代的な世界秩序の中で生きているから、ユーラシア大陸でロシア連邦の国境線を超えてまでロシアが支配するなんて考えにくいよね。現実に我々には、ユーラシア大陸を支配できる経済力も軍事力も持っていない。しかし、旧ソ連圏、ユーラシア大陸の中で我々はナンバー一であって、多少、我々に都合が良い配慮があっても良いのではないか？」という考え方が、恐らく政治的エリートの間でも、軍事的エリートの間でも、ロシア国内のその辺のおじさん、おばさんを捕まえて聞いても、同様の答えが返ってくると思います。要するに大国志向というのは、旧ソ連圏で生起する事象に関してロシアの強い影響力を発揮出来るように地位を持つべきであるという考え方です。

この影響力とは何かというと、ロシアが一方的に命令をすることは出来なくても、ロシアが絶対にしてほしくないことをさせないという消極的な拒否権を持つ状態です。例えば、旧ソ連圏の国々がＮＡＴＯやＥＵに加盟するというあからさまな反露的な路線を取らせないということです。

どの思潮にも通じる大国志向

ロシア人が持つ三つの国家像のお話をしましたが、ロシア人には「我々は大国である」という意識が物凄くあります。ロシア語で「大国」は「デルジャーヴァ」と言いますが、この言葉は単なる規模の大きい国という意味ではありません。もちろん大きいことも大事なのですが、それと同時に「自らが秩序を作る側でなければいけない」という考え方が根本的にあると思われます。日本人はわりと優等生なので、外国が作った秩序をきちんと守ろうと考えるわけですが、ロシア人はそうではなく「俺に都合が良い秩序を作るんだ」と考えるわけです。このようなロシア人の考え方は、中川先生がお話くださったように「ワシントン・コンセンサスを修正したい中国」であるとか、あるいは渡瀬先生のお話にあったような、アメリカ人が「アメリカの国内的価値観で世界を作り変えたい」という話につながると思います。

逆説的ではありますが、「そもそも我々は秩序を作る側にまわっているのだ」という意識がロシア人にはある、ということが非常に大きい意味を持つと思います。第二次世界大戦前の大日本帝国というのは、ある程度「日本は秩序を作る側だ」という意識を持っていたのではないか思いますが、戦後の日本は考えたことがないですよね。戦前の列強の中でもドイツやイタリアなどの負けた側というのは「世界の秩序を作るということを考えないように」と言われてきたし、考えずに上手くやってきました。そして、冷戦終結後の時点では、まだ中国も弱く、ロシアも滅茶苦茶な状態で、しばらくの間はアメリカ中心の秩序が世界の中心にあって、他の国々も「その秩序に従っていけば良いのだ」と思っていたわけです。

ですが、二〇〇〇年代に入った辺りから「もうアメリカ中心の秩序には従わないぞ」ということをロシアが言い出します。そして中国も二〇〇〇年代に入ってから経済的にも軍事的にも強くなり、その結果として「ハイブリッドストラグル」、国家間の正面を切った戦争は出来ない状況になってきました。アメリカもロシアも中国も核兵器を所持し、通常兵器で戦争をするにしても、あまりにも損害が大きくなります。気軽に何回も戦争をすることは不可能です。そのような状態でもアメリカ中心の秩序に従いたくない国々が繰り広げる様々な闘争が問題になっていきます。ロシアの場合で言えば、世界中に対する情報戦争であるとか、暗殺、収賄など色々なことを仕掛けて影響力を及ぼそうとしているのです。

ロシアと中国では戦略に違いがあると思うのですが、中国の場合はおそらく真正面から世界の秩序を変更する実力を持っています。将来的には経済力、軍事力の両面でアメリカを抜くかもしれません。科学技術力も中国は世界の最先端を行ってますが、ロシアはそうではない。世界一の経済力や軍事力を誇るアメリカや中国とは違い、世界の各指標においてロシアは世界トップ一〇に入れるかどうかという位置にいます。だけど「我々はデルジャーヴァ（大国）である。世界の秩序を作る側である」という認識を持っています。このような、現実のロシアの実力と認識のギャップをどう埋めるのか、というときに使われるのが軍事力や情報戦になるのです。

ですので、ここ一〇年〜一五年の間にロシアは、グルジア（現ジョージア）戦争（二〇〇八年）、ウクライナ侵略（二〇一四年）、シリア内戦への介入（二〇一五年）などを行ってきている。プーチン体制の特徴という部分もあるのかも知れませんが、それ以上にロシアの現実と自己イメージのギャップみたいなものが大きいのが原因だと思います。これはプーチン大統領の任期が終わる二〇二四年以降のことを考える上でも非常に重要だと思われます。

現在、西側諸国の論調には「プーチンという奴が悪の親玉であって、あいつを倒せば何とかなる」という考え方があると感じますが、私はそうではないと思っています。いま一番確率が高いのは、二〇二四年以降もプーチン大統領が続投することだと思いますが、仮に何等かの理由でプーチン体制が倒れて別の政治体制が出来上がるとしても、ロシアという国家のやることはあまり変わらないのではないかと思います。

プーチン批判をする代表格としてアレクセイ・ナワリヌイという、二〇二一年にドイツからロシアに帰国後に拘束された人物がいます。反プーチン的なことを言うので西側諸国ではリベラルのヒーローとされていますが、ナワリヌイの発言は危ういです。彼は北カフカスのチェチェン人やイスラム教徒が大嫌いで差別発言をしており、YouTubeで探すと動画もあります。ナワリヌイは領土的に見てもナショナリストで、二〇一四年にクリミア併合が行われた後に「クリミアはロシアのものだ。絶対にウクライナには返さない」と言っている。ロシアにおいて日本人が考える右翼、左翼という枠組みは中々通じにくいのです。

ロシア人の自己イメージとギャップ

ロシアという国家に対するロシア人の自己イメージと他国からの実際の扱いには差があるため、ロシア人は苛立ちを持っています。その一つがロシアと西側諸国の関係性です。一九八九年一二月三日、マルタ会談がアメリカとソ連の間で行われて冷戦終結へと至ります。このときにソ連は「アメリカと共に冷戦を終結させた。ソ連が白旗を挙げたわけではなく、人類を滅ぼさないために冷戦を終結させたのだ」と考えていました。ですが、冷戦終結後の一九九一年にソ連の国家体制が崩壊したことが問題になります。本来、冷戦終結とソ連崩壊は別の出来事なのですが連鎖的に発生したため、西側諸国で一緒くたに理解されてしまったのです。西側諸国としては冷戦終結後にソ連崩壊の流れを当然視してきたのですが、ロシアとしては当然の流れではないので、非常に不当に扱われていると感じています。「アメリカと共に冷戦終結という偉業を成し遂げたにも関わらずアメリカだけが勝者の顔をしている。フランシス・フクヤマは『歴史の終わり』という本まで書いていて許せない」という気持ちになっているのです。「冷戦終結後、社会主義体制が軒並み崩壊していくときに、ワルシャワ条約機構は解体されて東側というブロックは存在しなくなった。アメリカと共にロシアは冷戦を終結させたという歴史観に立つのであれば、西側ブロックもＮＡＴＯを解体しないとおかしいだろう」とロシア人は思うわけです。

プーチン大統領も「ＮＡＴＯを解体するか、もしくはロシアをＮＡＴＯに含めて全く新しい安全保障秩序にＮＡＴＯをアップデートするべきであった。それなのに西側はロシアをのけ者にしてＮＡＴＯを存続させて、あまつさえ舎弟であった旧ソ連圏の国々を飲み込もうとしている。ＮＡＴＯを拡大させないと約束をしておきながら口約束ですませて、結果的に我々を騙した」と主張をしています。

冷戦史の主要な潮流を見ていくと明確な約束はなかった、という説が有力ですが、口頭における了解はあったのかもしれません。どちらにしてもロシア人の中には、「西側諸国のＮＡＴＯを拡大しないという約束を信じてしまい騙された。冷戦終結後に我々は敗者にされ、蔑まされていて許せない」という気持ちがあるのです。

プーチンの論文が意味するロシアの対外姿勢

ロシアの国家安全保障戦略とか対外政策ドクトリンなどには必ず西側諸国に対する「対等性」という言葉が繰り返し出てきます。ロシアはソ連が崩壊して落ちこぼれても世界の主要国の一角であるという認識を極めて強く持っています。ロシアが扱われるべき場所は、アメリカや中国、ＥＵがいる席であり、国連の常任理事国以外の国と一緒にされると極めて不満を抱きます。ですが、日本人やアメリカ人、ヨーロッパ人からするとロシアはそこまでの国ではない、主要国でトップ二〇ぐらいに入るけど、トップ五には入らないと感じています。

例えばロシアの経済についてですが、実はロシアのＧＤＰは韓国より下でブラジルと同じぐらいしかないのです。二〇二〇年の名目ＧＤＰの順位でいうと韓国が第一〇位（一六三七億ドル）、ロシアが第一一位（一四八三億ドル）、ブラジルが第一二位（一四四四億ドル）となっています。韓国は東アジアにおける豊かな地域大国ではありますが、今の韓国が本気を出したらロシアのように、アメリカとタメを張れるのかというと中々そうとは言えません。二〇二〇年のアメリカの軍事費は七七八二億ドルで世界第一位、韓国は四五七億ドルで世界第一〇位です。対するロシアの経済規模は韓国以下ですが、世界第四位となる六一七億ドルの軍事費を支出しています。また人口で見ると、二〇二〇年時点でロシアは一億四五九三万人で世界第九位です。日本は一億二六四七万人で世界第一一位ですので、ロシアという国は、経済規模は韓国以下でブラジルと同等、人口は日本よりは上ということになります。

次にロシアのステータスの問題だけではなく、実際の国際秩序に対する影響度合いを見てみます。「我々は秩序に従う側ではなく、秩序を作る側だ」といってみたところで、ソ連時代のように実力を持ち合わせていないことはロシアも認めています。「冷戦期のようにアメリカとロシアで世界の大枠を決めることはできない。その立場は中国に完全に取られている。しかし少なくともユーラシア空間の中で、旧ソ連圏や東欧、中央アジアなどに対するロシアの発言権は大きくなければいけない」というのがロシアの言説の中で一貫されています。ウクライナに対するロシアの姿勢の根本にはこの考え方があるのだと思います。

次にウクライナ侵略に至るまでのロシアの行動を振り返りながらロシアの考え方を見て

いきたいと思います。二〇二一年春先にウクライナ国境付近にロシア軍が集結しているのですが、これは明らかにアメリカのバイデン政権の成立を意識した行動です。バイデン政権に対して「ウクライナは旧ソ連圏の縄張りだから手を出すな」というメッセージです。ウクライナのゼレンスキー大統領に対しては「アメリカの政権が代わったからといっても、これまでの政策の方向性を変えるべきではない」というメッセージになります。これらのメッセージを伝えた目的が達成されたとしてロシアは五月くらいに一回軍を引き、その後、七月にプーチン大統領は論文を発表します。

プーチン大統領は論文を書くのが好きで、時々大事な節目に自筆で論文を書きます。最初は一九九九年、大統領代行から大統領になると決まったときに『千年紀のはざまにおけるロシア』という論文を書きます。特に顕著なのが二〇一二年に首相から大統領に復帰するときに、七本も論文を書いてロシアの主要紙に掲載しています。大統領職は一任期六年で二期務める予定ですので、二〇一二年から一二年間の間にプーチンは何をやるのか、という内容を書いています。ですので、二〇二一年七月というプーチン自身の節目ではないタイミングで論文を書いている理由はよく分かりませんでした。ただし、論文の内容にはプーチンの強い決意が滲んでいると感じました。

論文の内容としては「ロシアとウクライナは歴史的に不可分である。宗教的にも民族的にも完全に一体の民族であり分けることは出来ない。それにも関わらずボルシェビキがウクライナを一回ロシアから切り離して、別の行政区分にしてしまった。ソ連崩壊後もロシアとウクライナは密接な関係であり続けたにも関わらず、現在のウクライナの政権は西側諸国に魂を売り渡している。NATOの軍事顧問団が入ったり、天然資源を簒奪されている。ウクライナの主権は西側諸国によって不安定にされている。ウクライナの主権を取り戻すには、ロシアとのパートナーシップを通じてしかできない」というようなことが書かれており、要するに「ウクライナはロシアの属国として戻ってこい」という意味だと考えられます。このような内容をプーチン大統領が論文を通じて発表したことは、あまり注目されなかったのですが非常に大きな意味があったと思います。

また、二〇二一年六月一六日に米露首脳会談が行われ、初めてバイデン大統領と顔を合わせた翌月に、論文を通じてウクライナを属国に戻すとプーチン大統領は宣言したわけです。プーチン大統領がバイデン大統領を弱腰と見た可能性があります。「バイデン政権はプーチン政権の行動を認めないが力ずくでは止めずに対中戦略に集中するのではないか」と感じ取ったから、バイデン政権の間にウクライナを回収出来るかも知れないとプーチン大統領が思ったのかもしれません。米露首脳会談後にロシア軍は再びウクライナ国境に集結し始め、一一月から一二月にかけてロシアは外務省を通じてヨーロッパに関する安全保障秩序を書き換えさせる要求を出してきます。要求は「ＮＡＴＯをこれ以上東に拡大させない。一九九一年以降のＮＡＴＯ加盟国にＮＡＴＯの戦闘部隊を置かず、軍事活動をするな」という内容です。

ロシアの第一の主張は「かつてのソ連圏内に西側諸国は入ってくるな」、第二の主張は「ＮＡＴＯに加盟したかつての衛星国であった東欧諸国はロシアに遠慮して振る舞え」、この二つが西側諸国に対する大きな要求となっています。これらの要求はロシアがずっと思ってきたことであり、ソ連崩壊から三〇年が経過して、いよいよ表に打ち出すようになってきた。その契機が二〇二一年の秋頃だったのです。

ウクライナ侵略におけるロシアの狙い

ロシアの振る舞いは我々から見ると現状変更的な動きに見えます。軍隊をウクライナの国境線に押し付けて、ウクライナ憲法に書かれているNATO加盟を目標とする文言を改正させようと圧力をかけています。ロシアの狙いとしてはウクライナ憲法に中立条項みたいなものを入れたいのだと思われます。

二〇一四年からウクライナ東部で勃発した紛争では、二〇一四年九月に第一次ミンスク合意、二〇一五年二月に第二次ミンスク合意が結ばれて、紛争解決に向けたロードマップが一応決まりました。この第二次ミンスク合意を決めるときにロシアは追加議定書を付けたいと要求をしました。その目的は、ウクライナの憲法を改正させて中立条項を入れさせるためでした。ウクライナは拒否をして追加議定書は付けられませんでしたが、ロシアはこの目標を捨てていないと思われます。

第二次ミンスク合意がなされた二〇一五年、プーチン大統領の補佐官であったウラジスラフ・スルコフのメールサーバーに対して、ウクライナ・サーバー連盟という組織がサイバー攻撃を仕掛けてスルコフのメールをごっそり盗み出しました。その後メール解析が進んで、二〇一四年にロシアがウクライナの紛争に介入した際の狙いが明らかになっていきます。

ウクライナの西側のザカルパッチャと真ん中のマロロシア、東側のノボロシアの三つの地域に分けて、ロシアに逆らえない小国にしてしまうというプランをロシアは考えていました。このようなロシアの狙いが実行されるとしたら文句なしの現状変更国家であると言えます。釈明の余地はないのですがロシアはそう思っていません。ロシアと西側諸国の「どの現状の話をしているのか」という部分に違いがあるためです。

日本人も含めた西側諸国は知らず知らずのうちに何となく、冷戦終結後の世界のことを現状と捉えていると思います。例えば、一九九〇年に勃発した湾岸戦争のような国際秩序を乱す国（イラク）が現れたときに、アメリカが多国籍軍を結集して倒しに行くような世界です。

ですが、ロシアが考えている現状というのは第二次世界大戦後の世界、早い話がヤルタ体制です。冷戦終結後のアメリカ一強の世界というのは、ヤルタ体制という現状をアメリカが変更したとロシアは見ているわけです。「ヤルタ体制によって五大国（アメリカ・ロシア・イギリス・フランス・中国）の協調による世界が出来て、ロシアは結構幸せだったのにソ連崩壊のどさくさに紛れて、アメリカ一極集中の世界が作られた。先に現状変更をしたのはアメリカである。ロシアはヤルタ体制を取り戻すのだ」という意識がロシアは強いと思われます。これは安全保障のジレンマにも言えるのですが、西側諸国から見るとロシアは極めて攻撃的に振る舞っているように見えますが、おそらくロシアからは全く違うものが見えている。このような観点から考え始めないと対話の糸口すらないでしょう。

プーチンはリベラル派から強硬派に？

ここからはロシアの内政における政策軸をお話しします。現在のプーチン政権は内政においては保守を全面に打ち出す政策となっています。しかし、一九九九年に『千年紀のはざまにおけるロシア』という論文を書いた頃のプーチン大統領は違いました。論文を読んでみると驚くほどリベラルなことが書いてあり、二〇年後のプーチン大統領の姿を見ているとは信じられないと感じます。人権とか言論の自由とか「我々はソ連の核を克服しなければいけない」などと書かれていて、若い頃のプーチン大統領はこんなに頭が柔らかかったんだと思えます。そして、論文が書かれた当時のロシア軍改革を巡る議論を見てみると、当時のロシアのリベラル派は徴兵制廃止を一番に訴えていました。「徴兵制を廃止して軍事力の規模を小さくして、大戦争に備えるような軍事力は解体してしまえ」ということを主張し、実はプーチンもこの議論には賛成していました。二〇〇〇年に大統領になったばかりのプーチン大統領は、少なくとも見た目の上では現在とは違いました。KGB出身ということで「プーチンは危ない」という声があったのですが、発言も行動も今と比べれば全然穏健だったわけです。

プーチン大統領は二〇〇八年の段階で引退していれば名君として歴史に名を残せたと思うのですが、二〇一二年に再び大統領に戻ってきてしまいました。戻ってきた後のプーチン大統領は、二〇〇八年までのプーチン政権やメドベージェフ政権に比べると強権的になっており、「プーチン2.0」などと言われました。ただ、プーチン大統領の強硬な部分とリベラルな部分というのは表裏一体ではないかと感じています。

プーチン大統領は啓蒙専制君主です。国民にとって本当に良いことをしてあげたいと思っている愛国者であると思います。ですが、プーチン大統領の頭の中には国民と根気のいる対話を繰り返して合意を形成していく気持ちがあまりなくて、「ロシアにとって良いこと・悪いことは俺が決める」という考えだと思われます。

それを理論的に一番かっこよく表しているのが、大統領補佐官であったウラジスラフ・スルコフによって書かれた「主権民主主義論」です。ここで主張されていることは「ロシアは民主主義の国なので国民には好きなことを言う自由があります。ただし、好きなことを言った後にどうするかは大統領が決めます」という話です。要は「大統領が決めたことに逆らうのは許さん」というのが「主権民主主義論」になります。ソ連時代のように言論の自由そのものを抑圧することはしないが、国家のリーダー（大統領）が決めたことに逆らうと反逆者となる、という話なのです。二〇〇〇年代初期のプーチン大統領のリベラル性と二〇一二年以降のプーチン大統領の強面な部分が、一つの思想につながっているのかと思います。

戒厳司令官プーチンと新たなアイデンティティ

そして、プーチン大統領は歴史的使命感として自身のことを「戒厳司令官」と思っていると考えられます。「ソ連が崩壊をして国家も経済も軍隊も何もかもが滅茶苦茶になってしまったときに、プーチンという戒厳司令官が任命されて、この混乱を治めるために非常大権を発動して良いという人民の負託を受け取った」という感覚をプーチン大統領は強く持っていると思います。しかも、プーチン大統領は若いときに国家の崩壊を二回連続で見ているのです。彼はKGB所属で東ドイツのドレスデンに駐在をしていました。ちょうどその時期にベルリンの壁の崩壊（一九八九年一一月）、東西ドイツの統一（一九九〇年一〇月）を経て、東ドイツ崩壊を経験しています。これが国家崩壊に直面した一回目。

次に一九九一年八月にウラジミール・クリュチコフKGB議長がクーデターを起こして、その直後にソ連は崩壊してしまいます。だからプーチン大統領の中では国家の崩壊に対する恐れ、恐怖心が物凄くあると思います。上からしっかり押さえつけて管理しておかないと、いつ国家というものがバラバラに崩れてもおかしくない。ましてやロシアは巨大な国土で多民族国家であるわけです。白人もカフカス人も住んでいるし、サハ共和国やブリヤート共和国にはアジア人が住んでいて、もっと東に行くと朝鮮人が住んでいるわけです。それが一つの国にまとまっているのは何でなのかというとイマイチ分からない。ソ連時代であれば「我々は共産主義を樹立するために頑張っている仲間なんだ」という建前論が一応あったのですが、それもないわけです。それでも二〇〇〇年代のロシアは、思想は何もないかも知れないけれども経済成長をしていたため、プーチン大統領についていけば豊かになり国民は幸せでした。

ところが二〇一二年、大統領にプーチンが復帰した頃のロシアは、二〇〇八年に発生したリーマンショックの直撃を受けて経済は停滞気味で国家をまとめるイデオロギーは相変わらず見つからないという状況でした。このような状況で何とか見つけた国民統合の原理が「第二次世界大戦におけるナチスからの勝利」です。毎年五月九日にロシアは赤の広場で戦勝記念パレードを行っているのですが、大々的に赤の広場で軍事パレードをやるようになったのは、プーチン政権になってからです。ソ連時代は一〇月の革命記念日にはパレードをやっていましたが、五月の対ドイツ戦勝記念パレードはやっていません。赤の広場を戦車が行進するようになったのは二〇〇七年からで、プーチンが二〇〇八年に大統領を辞める前ぐらいから始まって、二〇一二年に大統領に復帰してから大規模化していきました。五月の軍事パレードはロシア国民のようすがになっています。一種の神事です。中国も建国記念日に合わせて北京で軍事パレードを開催しますが一〇年に一回だけです。ですので、毎年モスクワを封鎖して軍事パレードを開催するのは本当に大変だと思います。また、軍事パレードに合わせて五月になると戦争で功労のあった軍人に贈られる「ゲオルギー勲章」のオレンジと黒を模した「ゲオルギー・リボン」というものを軍人ではない街中のおじさんやおばさん、カフェの店員まで身に付けるようになっています。ゲオルギー・リボンを身に付けて、「これが我々の国民統合の原理ですよね」と、大急ぎでアイデンティティが作り直されているように感じます。

アイデンティティの再構築が大急ぎで行われている最中に、ロシアは二〇一四年にクリミア併合を行います。クリミア併合のことをロシアでは「クリミアが戻ってきた」と言います。「本来我々のものであったクリミアがボリシェヴィキの手違いで奪われていたが、やっとロシアに戻ってきた」という感覚をロシア人は持っていたため、ロシア国民はクリミア併合を物凄く支持しました。これで一時期ロシア国民の中でプーチン大統領の株が一気に上がるのですが、二〇一〇年代後半に入っていくと神通力はかなり落ちてきます。ナショナリズムの高揚はいつまでも続かないですし、クリミア併合による欧米からの経済制裁を受けたためです。またロシアも経済制裁の報復としてEUの農産品やワインの輸入を禁止したため、ロシア国民の不満が鬱積していきました。閉塞感や停滞感というものが拭えないのが、ここ数年のロシアなのです。

二〇二〇年憲法改正に込められたプーチンのサバイバルキット

閉塞感や停滞感が蔓延るロシアは二〇二〇年に憲法改正を実施します。この憲法改正に込められた意図を私は「二階建て」と呼んでいます。一階の部分はプーチン大統領のサバイバルキットが詰まっています。このサバイバルキットは何のために必要なのかというと、二〇二四年の大統領選挙以降に備えるためです。二〇二四年にプーチン大統領の任期は終わるため、プーチンとしては二〇二四年以降をどうしていくのかを本格的に考える必要があったのです。

従来の一九九三年憲法の規定では、大統領は「連続三選禁止」ということになっていました。ということは連続でなければ三選以上されることを禁じていない、と解釈する余地もあるわけで、プーチンは実際に「一回休み」を挟んで二〇一二年に大統領に復帰してきました。

ところが今回の憲法改正では、「大統領は生涯二期まで」と変更されることが予定されていました。この改正内容を見て「プーチン大統領は引退するのかな」と思われたのですが、議会で審議が始まると付帯条項が付くことになり、「これまでの任期を除いて生涯二期まで」となりました。現在のロシアにおいて大統領経験者はプーチンかメドベージェフしかいませんので「これまでの任期を除いて」という文言はこの二人にしか関係がありません。メドベージェフに大統領復帰の目はないと考えると、プーチンに向けて「あなたは次の大統領選挙に出馬できます」と言っているようなものです。二〇二四年の大統領選挙にプーチンが勝利をして、そこから二期務めると二〇三六年まで出来ます。プーチンは八四歳です。事実上の終身制を可能としました。

さらに終身制だけではなく、院政が出来る仕組みも作っています。大統領の諮問機関として国家評議会という有名無実な機関が存在していたのですが、憲法改正によって外交と内政の政策立案機関にすることが決まりました。大統領から退いた後に国家評議会の議長を務めるというオプションをプーチンは考えていると思われます。

このときに念頭に置かれたのがカザフスタンの元大統領ヌルスルタン・ナザルバエフです。カザフスタンが独立してから二〇一九年までナザルバエフは大統領を務め、腹心であるカシムジョマルト・トカエフに大統領職を譲ります。ですが、完全引退はせずに国家安全保障会議の終身議長に就任、国父というよく分からないステータスも貰い、安全保障政策や立法提出権などに口を出せる立場にナザルバエフは収まりました。大統領ではなく準大統領ぐらいの権力を持ったまま引退したのです。これはこれで権力者が生きている間に権力交代が出来るという意味では賢い方法かなと思えました。ですが、二〇二二年一月にカザフスタン騒乱が発生してしまいます。しかもこの混乱の最中、ナザルバエフとトカエフとの間では権力闘争が発生したらしく、結局は引退したナザルバエフが敗北しました。これはプーチン大統領の引退戦略に大きな影響を与えていると思われます。「名目上とはいえ大統領職を手放すのは危険ではないか」というのが今のプーチン大統領の胸中だと思います。

そして可能性は低いのですが完全引退することも想定に入っていて、「大統領経験者には終身不逮捕特権を与える」という条項も加えられました。完全に全ての権力から退いた後も大丈夫なようにしたのです。おそらくプーチン大統領はどの道を選ぶかを決めていないと思われます。ギリギリまで続投するかを見極めたいのでしょうが、どの選択をしても大丈夫なように憲法改正を二〇二〇年に実施したのです。ここまでが憲法改正の一階部分になります。

ロシア国民にフィットする保守的な価値観

二〇二〇年の憲法改正を通じて国民の観心を買うために、ロシア国民の価値観にフィットする内容を打ち出した改正部分があります。一九九三年に制定されたロシア憲法と比較すると、二〇二〇年の憲法改正は保守・愛国側に振れた内容になっています。日本の報道を見ていると憲法改正によってプーチン大統領の任期が伸びる話と領土割譲禁止に関する話が注目されて、北方領土交渉にマイナスではないかと言われていました。結論から言ってしまうと、ロシアでは北方領土の話をすることは禁じられる空気に完全になっています。

もう一つ、ロシア国民の価値観にフィットする改正内容が、ロシアは「千年の信仰に基づく国家」とする文言を設けたことです。「千年の信仰」というのはロシア人が見ればピンとくるもので、キエフ・ルーシ以来のキリスト教信仰を示唆していると、ある程度の教養があるロシア人は分かります。今まではロシアが多宗教（イスラム教やユダヤ教など）国家であるため表立って「ロシアはキリスト教国家です」とは言えませんでした。二〇二〇年の憲法改正は、ロシアの人口の大部分を占めるキリスト教徒であるロシア人に向けた内容だったのです。

さらにもう一つ、婚姻に関する規定も改正されて「結婚は男女の営みである」というふうに明記されました。これは反ＬＧＢＴＱ（性的マイノリティ）という話です。このような改正がなされると当然ながら反発も起きます。宗教に関してはイスラム教徒やユダヤ教徒、婚姻に関してはリベラル派からも批判されます。ですが、プーチン政権が狙っているのは、ロシア社会多数を占める、保守的な価値観を持った人々です。逆にいうとプーチン大統領は人々の価値観を承認する以外には与えられるものがなくなってきているのだと思います。二〇〇〇年代のようにロシア経済が成長している時代は、国民の給与を上げたり、社会保障を整えたり、富のバラマキが出来ていましたが、今は出来ない。クリミア併合のような大勝負をプーチンの政治家人生で何回も出来ない。だからプーチン大統領は国民に対して「ロシア国民の価値観は間違っていません。西側諸国のリベラル派に付き合う必要もありません。私についてくれば明日も大体同じようになります」という安心感を供与しているのだと思います。

そして、「これらの憲法改正を国民の皆さんは認めましたよね」と言うために憲法改正に合わせて国民投票が実施されました。ですが正確には国民投票ではなく「全ロシア投票」でした。

ロシア憲法の規定では、憲法第一章、第二章、第九章の改正のときには国民投票が必要となっています。ですが、今回の憲法改正は第三章から第八章に関する改正だったので国民投票は不要でした。ロシア議会の上院と下院と地方議会の賛成があれば改正は可能です。ですが、国民投票を想定していない改正に国民投票を実施することにしました。憲法に書いてある国民投票という言葉が使えないため、全ロシア投票という変な言葉が使われたのです。逆にいうと全ロシア投票は憲法に規定されていないため何とでも出来るのです。国民投票の場合は改正する一条ごとに賛否を問うのですが、全ロシア投票では、様々な改正内容を全てまとめて賛否を問う投票用紙が使われました。投票用紙には改正内容の詳細が書かれていなかったため、ロシア国民の多くは改正内容をよく分からないまま賛成票に投じたと思われます。

ですが、プーチン政権にしてみれば「ロシアは保守的な価値観を持つ国であり、保守的な価値観の保証人としてプーチンが事実上の権力を握る国であることを、皆さんは賛成票を投じて承認しましたよね」という形にして二〇二〇年の憲法改正を達成しました。

私は、この体制は結構安定すると思っています。ロシア人は保守的で変化に対して凄く臆病なところがあります。二〇世紀は革命的変化を起こそうとした結果、何度もひどい目を経験してきたわけです。一九一七年のロシア革命があり、スターリンによる大粛清時代、一九九一年のソ連崩壊と、どれも本当に酷い目にあっています。ですので、ロシア国民としては「プーチン政権の下で、世界最先端ではなくても大体昨日と同じ明日がやってくる世界の方が安心できる」と考えているわけです。

西側諸国の考え違いは、ロシア国民は全員プーチン大統領が大嫌いなはずだと思っていることです。だからナワリヌイのようなリベラル派・反プーチン派を支援すれば、国民が呼応して集結すると思っている。

また、西側諸国にもリベラルな議論や価値観についていけなくなっている人たちがいます。そういう人たちはロシアの保守的な価値観に共感する人も少なくないと思います。その筆頭がどこの国でも肩身が狭くなっている右翼や保守派の人たちです。そのような層に対してロシアは民間側と政治側で工作を仕掛けています。ロシアには「夜の狼（ナチヌイエ・ボルキ）」というバイカー集団がいるのですが、この集団は熱烈なプーチン支持者でロシア政府の補助金が入っています。バイカー集団なので国道を走ってそのままドイツなどに入国して、他国の右翼と親交を深めて右翼間ネットワークみたいなものを形成しています。

政治側ではプーチン自らがトップセールスマンとなり、フランスの極右政党国民連合のマリーヌ・ルペンとの交流、オーストリアのカリン・クナイスル外相の結婚式に出席するなど、ポリコレのポストモダンのヨーロッパについていけなくなった人たちのところに入り込んでいます。

ロシアの経済は伸びないし、人口も停滞をしている衰退勢力ではありますが、西側諸国が先進的であると思っている部分で取り残している領域を上手く摑んでいると感じます。ポストモダンの西側に対抗するオルタナティブとして保守のロシアというのが、国際的なロシアの一定の大国としてのプレゼンスにつながっているのではないかと思われます。「ではロシアの立ち位置は何なのか」と聞かれても一言でいうのは難しいですが、オットー・フォン・ビスマルクが言うように「見た目ほど強くはないが、見た目ほど弱くもない」というのが今のロシアかなと思います。

第四章　地政学上の米中露の関係性

奥山真司

国際政治を語る上での地政学

皆さん、こんにちは。国際地政学研究所上席研究員の奥山真司といいます。すでにアメリカと中国とロシアの価値観に関連したお話を渡瀬先生、中川先生、小泉先生にしていただきましたが、これから僕がお話させていただくのは、まず価値観のようなソフトな要素をひとまず置いて、国際政治という一つのゲームのルール、メカニズムというのを、地政学（正確には古典地政学）というツールを使って解説をしつつ、トランプ政権の国務省でアドバイザーとして働いていたヤクブ・グリギエルと欧州政策分析センター創設者で所長のウェス・ミッチェルという二人の共著『不穏なフロンティアの大戦略』（著：ヤクブ・グリギエル、A・ウェス・ミッチェル、翻訳：奥山真司、川村幸城、二〇一九年、中央公論新社）の内容を基に、アメリカの戦略的な視点というものを紹介し、最後にこれを踏まえて日本は未来にどう備えるのかという話をしていきたいと思います。

地政学は、一九世紀頃からヨーロッパを中心に出てきた考え方になります。単純に言えば、世界を大きな視点で捉えて地理から世界を戦略的に考えるための一つの視点です。国際政治において大国と小国では地政学に対する考え方に違いがありますが、これから私がお話させていただくのはもちろん「大国」の視点から見る地政学の考え方になります。

まずは地政学の歴史についてお話をしていくのですが、近代地政学として発展をしたのは、一九世紀のドイツからです。一八五〇年代のアメリカでは大陸横断鉄道を敷いて西部開拓（マニフェスト・デスティニー）が進められていました。この西部開拓が、アメリカに移住していたドイツ系アメリカ人に影響を与え、「アメリカの西部開拓は鉄道を活用して成功を収めている。領土を拡大してヨーロッパよりも大きくなっているぞ。ドイツも同じようにヨーロッパの東側に領土を拡大できるのではないか」というインスピレーションを与えました。そして、アメリカが成功した手法をドイツ人が持ち帰り、プロイセン王国が中心となり、地理や地形を活用しながら鉄道を敷いて、軍事面にも活かして、軍事力を強化して、普丁戦争（一八六四年）、普墺戦争（一八六六年）、普仏戦争（一八七〇～七一年）を勝利していきます。プロイセンは一八七一年、フランスのパリに入場して「ドイツ帝国」の建国を宣言することになります。日本だと江戸時代が終わって明治四年になる頃です。ドイツ帝国の誕生に対して周辺のヨーロッパの国々は「ヨーロッパの田舎者ではないが、真面目に働くドイツ人が統一国家を作ってしまった」という驚きの声を上げるとともに、「プロイセンは普仏戦争の時に地理や地形を活用して成功したよね。俺達も真似をしよう」とドイツ帝国の成功を見習い始めます。当時の覇権国であった大英帝国は、ドイツ帝国の成功を体系化して世界戦略論を作り上げて、現在まで伝わる地政学の視点へとつなげていきます。

このような地政学の概念を確立した人物としては、アルフレッド・セイヤー・マハン、ハルフォード・マッキンダー、ニコラス・スパイクマンの三人がいます。彼らは古典地政学の三大スターと呼ばれていて、現在も世界の海軍士官学校ではマハンの書籍が読まれています。次にこの三人の世界観について解説をしていきます。

古典地政学三大スターの世界観

アルフレッド・セイヤー・マハンはアメリカ海軍の軍人であり、現役時代はあまり船乗りを好まず、海軍大学の二代目の校長となってからは歴史書を書きました。リタイアした後は「世界情勢は今後こうなる」というような時事評論家みたいな商売をしていた人物です。マハンは一八九〇年に『海上権力史論』という書籍を刊行し、「グレートゲーム」（一九世紀から二〇世紀にかけてのイギリスとロシア帝国の覇権争い）が行われていた一九〇〇年には「ロシアがユーラシア大陸の上から南下してきて、インドを植民地にしているイギリスが南下を防ぐ、というパワーのぶつかり合いが起きている」という世界観を打ち出します。ユーラシア大陸の内陸国であるロシア帝国を「ランドパワー」と呼び、海洋国家であるイギリスを「シーパワー」と定義して、マハンは「海を制するものは世界を制する」と唱えました。このような世界観を時事評論という形で世に打ち出しながら、アメリカの国家戦略としての海軍を増強して世界展開を推し進める大戦略（グランド・ストラテジー）を提言しました。

ハルフォード・マッキンダーはイギリスの地理学者・政治家です。一九〇四年一月二七日、日露戦争が始まる直前（一九〇四年二月開戦）に、マッキンダーはロンドンの中心部にある「背広」の語源（諸説あり）で有名なサヴィル・ロウという地区の近くにある建物内に入っていた王立地理学会で論文発表を行いました。この時のマッキンダーの発表から近代地政学が本格的に始まったとも言われています。

一八六一年にイギリスで生まれたマッキンダーは、イギリスの国力が低下していく中でドイツ帝国が誕生する流れに衝撃を受けていました。そんな彼は、一九〇四年の王立地理学会における発表で画期的な地図を提示します。当時のイギリスはグリニッジ天文台を世界の中心とした世界地図を使用していたのですが、マッキンダーはあえてインドを中心とする世界地図を示しながら「イギリス中心の世界観ではいけない」と主張をします。ユーラシア大陸こそが世界の中心であり、大陸の北の地域を「ピボットエリア」（回転軸の地域・後にハートランドと呼ばれる）、そこを中心にしてその周りを「インナー・クレセント」（内側の三日月地帯）、外側を「アウター・クレセント」（外側の三日月地帯）と三つの領域に分けて、シンプルな地理観を打ち出しました。そして「ランドパワーのロシア帝国による圧力にシーパワーであるイギリスは常に晒されている」という世界観に基づいて戦略を考えていこうとマッキンダーは主張したのです。

マハンとマッキンダーの議論をさらに進化させたのが、ニコラス・スパイクマンです。スパイクマンはオランダ出身のアメリカの地政学者・政治学者・外交戦略家で、一九四〇年に「南北アメリカ大陸は旧大陸であるユーラシア大陸に東と西から挟み込まれる危機にある」という認識を打ち出します。当時のユーラシア大陸からの東西の脅威は、東はドイツ、西は大日本帝国でした。スパイクマンはこの状況を打破するためにも、「西半球（南北アメリカ大陸）のアメリカは、ユーラシア大陸の勢力によって東西から囲まれる前に相手を囲んでやれ」と主張し、ユーラシア大陸の沿岸地帯（リムランド）を足掛かりにして、ハートランド側が海洋に進出するのを抑え込もうとしたのです。アメリカの外交官であったジョージ・ケナンが後にスパイクマンの考えを援用して、冷戦時代の対ソ連の「封じ込め政策」の概念につなげていきます。

次にスパイクマンの「アジアの地中海」という概念についてお話しします。スパイクマンは一九四二年の時点で、台湾、シンガポール、オーストラリアの北部のヨーク岬という三辺に囲まれた海域を「アジアの地中海」と呼んでいました。日本がアメリカと戦争になった直後の一九四一年の時点で、スパイクマンは日本が敗北することを予測しています。また、一九四二年時点の中国は人口たった四億人で国内が分裂状態でしたが、将来的には統一して国力を上げることを予測していました。そして、大国として発展した中国はアメリカと「アジアの地中海」、つまり内海である南シナ海を巡って勢力争いをするだろうと警告していました。なぜここまで見えていたのかについては後述しますが、後世の世界の大きな対立構造を見る才能がスパイクマンにはあったのだなと感心するところであります。

マハン、マッキンダー、スパイクマンの三大スターの話を統合すると「リムランドが競合エリアになる！」ということです。ユーラシア大陸のハートランド（内陸部分）にあるロシアや中国というランドパワー陣営が、ユーラシア大陸のリムランド（沿岸地帯）に進出してくる。この動きをアメリカやイギリス、日本などのシーパワー陣営が抑え込もうとする。その結果として、リムランドで大体の紛争が発生するというイメージを捉えていただければと思います。「地政学」というのは厳密には「学問」ではありません。むしろ「帝国主義の時期に出てきた一つの知的伝統としての物の見方」という方が正確です。ここまでが簡単な地政学に関するお話になります。

冷戦時代のアメリカの地政学議論

続いて大国から見た地政学の考え方についてアメリカの視点でお話をします。第二次世界大戦後のアメリカはソ連との冷戦時代へ突入していくのですが、国家戦略としての大戦略（グランド・ストラテジー）への関心を低下させていきます。戦後のアメリカはトルーマン・ドクトリンに基づいて、ソ連に対する封じ込め政策（マーシャルプランによる西側諸国への経済支援。北大西洋条約機構〈ＮＡＴＯ〉の構築など）を基本的な外交政策として実施していました。

ですが、一九四九年八月にソ連はセミパラチンスク核実験場で原爆開発実験を成功させます。アメリカとソ連の核戦争の危険性が生まれ、アメリカはソ連との争いを過熱させないことを優先するようになっていきます。それに合わせてアメリカは大戦略を考えることに関心が向かなくなっていき、冷戦時代は地理をベースとした国家戦略よりも、核戦略が優先的に議論されるようになりました。アメリカの戦略研究家のロバート・オスグッドにより「アメリカとソ連が核兵器を保有する状況で核戦争になるのはマズイ。戦いというものを地域限定にしよう」という争いをエスカレーションさせない考え方が冷戦時代に生まれてきます。この考え方は限定戦争とも呼ばれます。さらに一九六二年一〇月にはキューバ危機が発生するなど、米ソの緊張が高まり、アメリカは国家を拡大させていく大戦略、グランドデザインを考えるということが無くなっていきます。

当時の文献を見ていくと不思議なことに「地政学」という単語が出てこない。それは何故かというと帝国主義とナチスドイツが絡んでいたため、地政学は「悪い学問である」というイメージが持たれてしまい、地政学そのものが議論をされなくなってしまったという理由があります。もう一つ大きな理由としては、優秀な人材が核戦略の議論へ流れていってしまったためです。例えば、後にノーベル経済学賞を受賞するトーマス・シェリングなども当時は「若くて優秀な奴こそ核戦略をやれ」という理由で、地政学ではなく核戦略の議論へ持っていかれていました。「アメリカは世界においてどうしていくのか」という大戦略の議論が出来ない状況になってしまったのです。このような状況で全体的な軍隊の戦略を米海軍と連邦議会は、地政学という言葉は使わずに地政学的な議論を地味に考えていました。

そのような状況に変化が表れるのは、一九七九年にソ連によるアフガニスタン侵攻とヘンリー・キッシンジャーの登場によってです。冷戦時代はミサイルの撃ち合いによる戦いになるから地理など関係ないと思われていたのですが、ソ連のアフガニスタン侵攻を見ていると「核戦略とは別にして、もう一回、地理に注目する必要がある。どこに兵隊を配置して、どこを占拠するのか、というのは重要ではないか」という議論が七〇年代後半に復活してきます。

その文脈の中でキッシンジャーが出てくるのですが、一九七九年に『White House Years』（邦題は『キッシンジャー秘録』）という本を出版したキッシンジャーは、その中で「ジオポリティクス」（地政学）という言葉を使いました。キッシンジャーはユダヤ人であったため、「ユダヤ人の彼がジオポリティクス（地政学）という言葉を使っているのだからタブーではないな」という空気になり、グローバルな視点に基づく大戦略という意味合いで、地政学という言葉が一九七〇年代後半から復活していきます。

古典地政学の議論も復活していき「安全保障・軍事国政術・ドクトリン・長期戦略」という四つの流れが出てきて、「安全保障」とか「セキュリティー」という言葉が流行り始めます。元軍人で作家のジョン・コリンズや、元軍人で戦略思想家のエドワード・ルトワックなどが登場してきて、ルトワックは、ほぼデビュー作となる『ローマ帝国の大戦略』（一九七六年）を出した頃です。「大戦略や地政学は重要だよね」ということでセキュリティーという言葉でカバーされながら大戦略的な議論が注目されました。

大戦略的なドクトリンや安全保障、長期戦略に関しての議論は、MIT教授のバリー・ポーゼンやイェール大学の歴史家であるポール・ケネディなどが有名です。ポール・ケネディが書いた『大国の興亡』は世界的な大ベストセラーとなりました。この世代は現在も活発に大戦略の議論をしており、大戦略やセキュリティーという名前を使いながら地政学的な議論を行っています。

冷戦終結後のアメリカの大戦略

冷戦終結後のアメリカは迷い始めます。ソ連に勝利をしたことでアメリカ一極時代となり、アメリカは国家として何を目指していくのかイマイチ分からなくなったのです。フランシス・フクヤマが『歴史の終わり』などを出版して「リベラルデモクラシーを世界に広めるのが我々の使命だ」ということを言い始めてから色んな議論が出てきます。その中でアメリカが世界へ関与をするときの四つのオプションについて議論が出てきて、一九九七年ぐらいにバリー・ポーゼンが議論をまとめます。

この四つのオプションは「完全支配（primacy）、選択的関与（Selective Engagement）、オフショア・バランシング（Offshore Balancing）、孤立主義（Isolationism）」と呼ばれています。「完全支配」から順番に世界への関与レベルは低下していきます。

完全支配《プライマシー》（primacy）というのは、いわゆるネオコン（ネオコンサバティブ）の考え方なのですが、アメリカが相手国の全土に出向いて米軍を常駐させて、全ての政策に関わって相手国を民主化していく、という結構怖い考え方になります。アメリカの安全保障系の学会は「理想的には完全支配《プライマシー》だよね」というコンセンサスを未だに持っている節があります。

二つ目のオプションは、選択的関与（Selective Engagement）です。四つのオプションに議論をまとめたバリー・ポーゼンなどが主張をしており「米軍が重要地域に駐留しているのは良いとして、アメリカの三大戦略地域（西ヨーロッパ、中東、東アジア）の地域バランスが崩れたら、その都度、そこに介入をしてアメリカの優位性を維持していこう」という考え方です。

三つ目のオフショア・バランシング（Offshore Balancing）は、国際政治学関係論の学者でリアリストと呼ばれる人たちに多く、「相手の領土には出向かずに、少し離れた場所から様子を見つつ、必要に応じて圧力をかけていき、間接的にコントロールをしていく」という考え方になります。

四つ目は、完全に世界から米軍を撤退させてしまう孤立主義（Isolationism）という考え方です。有名な人はアメリカ議会でいうとロン・ポール元下院議員がいます。米軍を撤退させて海だけを守れば良いではないか、という主張をする人たちが政治勢力および学者の世界に一定程度います。


基本的には、完全支配（primacy）と選択的関与（Selective Engagement）の二つのオプションの間で揺れ動いているのが、冷戦終結後から現代までのアメリカの現状ではないかと思われます。四つのオプションの立場のそれぞれの人たちが話し合うと、最終的には「アメリカの優位性が保たれながら世界一でいたいよね」という所で意外とコンセンサスが取れていると思われます。

三枚の地政学図

今後、我々にとって大事になってくるであろう三つの地政学図のお話をしていきます。
まず一つ目が北極海ルートです。地政学において北極海航路は通行不能とされてきましたが、気候変動の影響を受けて氷が溶け、二〇〇〇年頃から通行可能になり北極海航路が開通しました。北極海航路は従来の「極東～ヨーロッパ間の距離」よりも三割～四割も短くなり、海賊も出現しなくて安全というメリットがあることで活用が期待されていました。ですが、北極海航路のデメリットとして、通行料の徴収や海難救助などの担当がロシアに集中し、ロシア一国の支配力が物凄く強くなる懸念があります。また、北極海航路の安全保障にロシアが注力するようになり、北方領土に対艦ミサイルなどを設置するなど、軍事力増強を進めています。「北極海航路にとって重要な北方領土を渡さないぞ」という強い気持ちをロシアが持っていることが分かります。

二つ目の注目点が中国です。中国は一九六〇年代から長い期間をかけて国境線を画定してきました。九〇年代には北はロシア、南はベトナムとの国境を画定して、インドとの国境問題は残っていますが、中国は周辺国とのほとんどの国境線を画定させました。国防に注力していた中国は国境線を安定させたことで、国外に安心して展開できるという恵まれた状況を生み出しました。内陸の方を固めてきた中国の動きは画期的な動きだなと私は見ております。

三つ目は、一九世紀に活躍をしたトーマス・ミッチェルというスコットランド人の探検家が作った地図になります。一八四八年に出版されたミッチェルの旅行記に掲載された地図は、南シナ海を中心に、右に太平洋、左にインド洋という地球儀を斜め右に傾けたような地図でした。今でいう「インド太平洋地域」の重要性を伝える概念図であり、非常に画期的な地図になります。

何が画期的なのかというと、インド太平洋地域には大洋の海上交通路を主軸としたビジネスを中心に、各国の緩い統一体みたいなのがあり、マンダラ模様の世界があることを示しているからです。この地図から分かるのは、現代の中国が東アジアの大国としてインド太平洋地域に進出してきても、中国以外の周辺国が存在している事実です。そして緩い統一体みたいなものを周辺国が共有しているので、中国はその関係に悩むことになると思われます。
以上、この三つの地政学図をおさえておくことが重要だと感じます。

『不穏なフロンティアの大戦略』…グリギエルとミッチェル

二〇一六年二月にアメリカのプリンストン大学出版社が刊行し、一年後に同社からペーパーバック版として出版されたヤクブ・グリギエルとウェス・ミッチェルの共著に、グリギエル氏による日本語版前書きを加えた、全訳日本語版として『不穏なフロンティアの大戦略‐辺境をめぐる攻防と地政学的考察』という本を二〇一九年に出版をしたのですが、この本に書かれている内容に時代が追い付いてきているなと感じています。これからこの本の内容に基づいて、未来にどう備えるのかという話をしていきたいと思います。

まずは本書の内容を簡単に説明していきますが、本書の結論はシンプルで「アメリカは同盟国を大切にしよう」ということです。共著者のグリギエルとミッチェルは「ロシア、中国、イランは現状変更国家であり、アメリカの敵、ライバルである」と言い切っています。二〇一四年のオバマ政権の後半に入ってから書かれた本なのですが、その時点ですでに彼らはこのような問題意識を持っていたのです。

実際に現在のアメリカの公文書を見ると、「ロシア、中国＋ＩＳＩＬ（イスラム過激派組織）のようなテロの脅威＋イラン」のようになっており、「ロシア、中国、イラン」をアメリカの敵でありライバルとするのは、地政学の伝統である三大戦略地域とリムランドという考え方にピッタリはまっています。

そして、二つ目の主張として「アメリカの敵と直面をしているのは、陸と海の勢力がぶつかり合うフロンティア（最前線）にいるアメリカの同盟国たちである。アメリカは同盟国を助けなければいけないが、彼らはロシア、中国、イランからプロービング（探り）をされているのだ」ということが書かれています。

アメリカの同盟国に対する敵対勢力の活動に対して「プロービング（探り）」と名前を付けたのは画期的だなと思います。プロービングの説明は次にしますが、基本的にはサラミ・スライス戦術（少しずつ時間をかけて現状変更を図る戦術）と似ています。この本の内容は政策提言書のようになっていますが、著者の二人は出版後に共和党のトランプ政権で政府の役人として国務省で重要なポジションを務めています。

私は二〇一九年六月に著者の一人であるグリギエルにワシントンでインタビューを行いました。彼はポーランド出身のイタリア育ちで、地政学の論文を昔から書いていたので注目をしていました。彼の最初の問題意識は、共和党のブッシュ政権も民主党のオバマ政権も、ロシア、中国、イランを敵認定しないということだったそうです。ところが反対に、アメリカはロシア、中国、イランから相変わらず敵認定をされており、確実に意識の違いのようなものが存在しておりました。

二〇〇九年三月七日に行われた米露外相会談でヒラリー・クリントン米国務長官とセルゲイ・ラブロフ露外相が「リセット」と書かれた赤いボタンを一緒に押すというパフォーマンスがありました。これは当時のオバマ政権が、ロシアをパートナーとして一緒に世界の大きな問題を解決しようとリベラル的な外交を進めていたということです。そのような状況を見て、グリギエルと共著者のミッチェルは大変不満を抱いていました。

その後アメリカ政府が、アメリカ自身が弱くなったと自覚した時に、「ロシア、中国、イランはアメリカの敵、ライバルである」と認識を変化させていきます。アメリカ自身が

「アメリカ一極の時代は終わっていないか？」と自覚してから、ようやく戦略を真面目に考え始めたのです。一八六〇年代に、イギリスにとっての黄金時代が終わってから、イギリスの地理学者・政治家のマッキンダーが「ドイツ帝国が誕生してアメリカに経済的に追い抜かれてきたから、イギリスも戦略を考えないとやばいよね」という時期にイギリスが戦略を考え始めた歴史があるので、アメリカにおいてグリギエルやミッチェルが出てきて戦略についての議論が生まれてくるのも分からなくもありません。このような大戦略を描けるところがアメリカの人材の豊富さを示していると私は思っています。

グリギエルとミッチェルの地政学に対する認識はどのようなものかというと、基本的には「西ヨーロッパ、中東、東アジアの三つの地域バランスは極めて重要」という主張です。二〇二一年にバイデン政権は中東にあるアフガニスタンから米軍を撤退させて、東アジアに集中させるようなことを言っていたときに、トランプ政権で国防次官補代理を務めたエルブリッジ・コルビーは「西ヨーロッパにも中東にも米軍はいらない。周辺の同盟国に任せてアメリカは東アジアに全集中しろ。日本の防衛費は二％ではなく一〇％出せ」と過激な主張をしたほどです。

少し話がそれましたが、大戦略のまとめ的な話としては、「大戦略は弱さを自覚したときに作り出される」ということです。日本も安全保障戦略を発表したのは経済規模で中国に追い抜かれてからです。

危機感を持つことで戦略を考え始めるため、危機感が大事だなと思う反面、あまりにも自国が強いときは戦略を考える必要がないのだなとも思います。例えば、ワシントンD.C.にワシントン・レッドスキンズ（現：ワシントン・コマンダーズ）というNFLのプロフットボールのチームがあるのですが、一九九一年のスーパーボウルで優勝した時に最前線のラインが滅茶苦茶強くて、相手が「次はランで攻めてくる」と分かっていても最前線が力で押し切ってしまうのです。クォーターバックが余裕でボールを投げることが出来て、何でも出来るため、実質的に「戦略がいらない状況」にあったので印象的でした。アメリカ一極時代も似たようなものでして、一極時代は最前線に最強のラインを揃えられた。しかし今は最強のラインがいないため、色々と戦略を考えないといけない状況となった。このような健全な危機感みたいなものは戦略を考える上で大事になってくると思うのですが、普段から出てくるかというとなかなか難しい問題です。健全な戦略を考えるには危機感が必要ということになるわけです、そういう社会が平和で幸せであるとは限らないからです。

未来にどう備えるか

二〇一九年七月六日の『The Economist』に「未来にどう備えるか」という点で凄く良いと思える記事がありましたので取り上げます。この記事では「未来学」について紹介がされていました。コンサルタントの人たちなどが未来を予測しようと色々と言っているのですが、最終的なみんなの結論は「未来を予測するのは難しいが少なくとも準備は出来る」ということでした。例えば、未来を考えることや心の準備をする上で三つの未来への対処方法があると書かれていました。

一つ目が「シナリオ・プランニング」という手法です。一九七〇年代にロイヤル・ダッチ・シェルというヨーロッパの石油会社に採用され、「将来的に色々な危機が発生することを想定して、事前に危機への対処方法を考えていこう」という避難訓練のようなことが行われました。あらかじめシナリオ・プランニングを行った結果、七〇年代のオイルショックを乗り切ることが出来たのです。

このように起こるべく未来のシナリオを用意して備えるシナリオ・プランニングは、ウォー・ゲーミングのような形でもやっています。特に日本だとキヤノングローバル戦略研究所などが政策シミュレーションという形で実施しています。私の好きなシナリオはアンドリュー・クレピネヴィッチという著者の『7 Deadly Scenarios』という本に書かれている内容です。日本では翻訳されていないマニアックな本ですが、この中には日本と中国が台湾を巡って衝突をしてアメリカのコリングウッド大統領と中国の李主席が戦うシーンがあり、最後に日本の金井首相が「どうしようか」と言って、かなり不吉な状況で終わるシナリオが書かれています。キヤノングローバルで行われているシナリオ・プランニングの内容も見てみると、中国や台湾有事のシナリオで最後は日本が「どうしようか」と歯がゆくなる話らしいのです。

二つ目が「サイエンス・フィクション」です。ＳＦの世界などに未来を作るヒントが隠されているということです。一番有名なのが日本でも二見書房から出版された『中国軍を駆逐せよ！ゴースト・フリート出撃す』（二〇一六年）という小説に書かれた内容で、台湾有事を題材にした未来戦記です。他にもアメリカのテレビドラマ『24-TWENTY FOUR-』では、オバマ大統領の誕生（二〇〇九年）よりも前に、デイビッド・パーマーという架空の黒人大統領が二〇〇一年に出演しています。映画『エンダーのゲーム』（二〇一三年）では未来戦の話が描かれています。あまりにも先の将来というよりは、近未来の話を色々と想定していくのは戦略を考える上で悪い話ではないと思われます。

三つ目が「トレンド・スポッティング」です。『The Economist』には「日本の女子高生はスマートフォンが世界に普及する前からiモードを使い、同じようなことをやっていた」と相当高評価に紹介されていました。写メやiモードのアプリで行っていたことがスマートフォンで行われるようになっている。つまり、これからの未来の種みたいなものはすでに世の中に存在していて「未来に備えて想像力を巡らせることが重要ですよ」というのがトレンド・スポッティングです。

未来への対処法を三つご紹介しましたが、最後のまとめとしては「未来に備えられないので、結局我々は順応するしかないのでは？」ということになります。

第五章　現代戦の常識

部谷直亮

戦争の本質をクラウゼヴィッツから学ぶ

慶応義塾大学SFC研究所上席所員の部谷直亮でございます。私は普段ドローンとか3Dプリンタなどを研究しているのですが、その技術自体というよりも技術によって戦争そのものがどう変化していくのか、というところに関心があります。そのため今回は現代の戦争と言える「ハイブリッド戦」についてお話をしつつ、「戦争の特徴とは何か」という部分で問題提起をしていきたいと思います。

中川先生が苦闘して「ハイブリッドストラグル」という概念を生み出されたように、今の時代は色々と訳が分からない状況で、現象としては分かるのだけれども、それを概念として説明出来ないということが色々と起こっています。それは何故かというと、テクノロジーの進化と社会実装が早すぎるのです。そもそもテクノロジーというのは、社会に新たに生まれるだけではダメで、社会に実装されて溶け込んでいくことで意味のあるテクノロジーになるのです。

例えば、ドイツ人のヨハネス・グーテンベルクが一四五〇年代頃に活版印刷術という新しいテクノロジーを発明したのですが、当時はほとんど使い道がなくて聖書の印刷ぐらいにしか使われませんでした。現代のように「小説を売ってやろう」という人は現れなかったので、商業的にはグーテンベルクは、最初は成功しませんでした。その後、グーテンベルクが発明した活版印刷術が急速に世の中に普及していくのは、マルティン・ルターが宗教改革を始める一六世紀頃からです。マルティン・ルターが一五一七年に発表した『九五ヶ条の論題』という文書が印刷をされ始めて、宗教改革の波が拡大していくのです。グーテンベルクが発明した活版印刷術という新しいテクノロジーが、世の中に広まって社会変動を起こすまでに大体六〇年ぐらいかかっていました。他にも、一七九〇年にイギリス人のトーマス・セントが新しいテクノロジーとしてミシンの構造原理を発明して特許を取得しますが、ミシンという機械を開発するのは一八三二年のアメリカ人のウォルター・ハントまで時間がかかりました。

それに比べて近年のインターネットという新しいテクノロジーが世の中に広がっていくのは非常に短期間でした。九〇年代にウェブサイトが誕生してから国際テロ組織アルカイダがウェブサイト「AI Neda」を主要通信手段として利用し、二〇〇一年九月一一日のアメリカ同時多発テロ事件を起こすまで一〇年ほどです。二〇一〇年から二〇一一年にかけてアラブ世界で発生した民主化運動「アラブの春」は、Facebook や Twitter などのSNSが情報源となり、運動が急速に拡大していきましたが、インターネットという新しいテクノロジーが世の中に広まって二〇年ほどしか経っていません。Facebook は二〇〇四年、Twitter は二〇〇六年に始まりましたが、アラブの春は一〇年も経過せずに発生しました。新しいテクノロジーが生まれ、その新しい使い方が生み出されて社会に実装されるまで早すぎると思います。人間が馴染まないうちに、先に社会に新しいテクノロジーが馴染んでしまうという訳が分からないことが起きていて、私たちはその状況を捉えられないでいるのだと思います。

ですが、戦争に関する研究においては「戦争の本質は変わらないが特徴は変わる」と言われています。これはプロイセンの軍人であったカール・フォン・クラウゼヴィッツの言葉です。現代の戦争を理解する上で、戦争の本質と特徴の変化を考えていくことは大切なことだと思いますので紹介します。

クラウゼヴィッツが言った戦争の本質とは何かというと「戦争とは相手にわが意思を強

要するために行う力の行使である」ということです。原始時代から変わらない戦争の本質であり、二〇二二年二月二四日から始まったロシア・ウクライナ戦争において、ロシアのプーチン大統領は意思を強要しようとウクライナにロシア軍を侵攻させ、意思を押し付けられたくないウクライナ政府は全国民をあげて対抗をしています。

そして、「敵を打倒するという戦争の目標が目的の代わりになり、（本来の）戦争の目的は、戦争自体に属さないものとして事実上押しのけられる」と、戦闘が開始されると敵を打倒するという戦争の目標が自己目的化していくことも、戦争の本質だとクラウゼヴィッツは述べています。また、軍事行動における目標は「敵の無力化」になります。

「クラウゼヴィッツは大勢の敵を殺戮することが戦争だと言っている」とまことしやかに語る人がいますが、それは誤りです。クラウゼヴィッツは「敵を無力化するか、その可能性を認識させることで屈服させる」としています。他にもクラウゼヴィッツは、「現実の戦争は交戦国の具体的な状況やその時代特有の政治的・経済的・技術的・社会的な要因によって修正を受ける」、戦争はあくまでも政治の道具であって「戦争は他の手段を交えた政治的交渉」「戦争は政治の道具である」「一般に、軍事行動の目標が政治的目的に対応している場合、政治的目的が控え目になればなるほど、軍事目標は同様に控え目になる」「戦争においては、本来の動機としての政治的目的は、その成果についてきわめて重要な要因になる」ということを言っており、クラウゼヴィッツはこれが戦争の本質であると述べています。

換言すれば、これら以外は変化するということになります。戦争の特徴は時代や政治状況、経済や技術など色々な条件で変化していくので、本質以外は変化するものなのだと認識をしておくと良いのです。「戦争の本質は変わらないから今のままでいいんだ。技術革新はそれほど関係ない」という頭の固い考えを持つ人も出てきてしまうのは問題ですが、戦争の本質に固執してしまい、戦争の特徴の変化を見誤ると色々と起こります。

戦争の本質は変わらずに特徴が変わったことで敗北した戦争といえば、一八四〇年のアヘン戦争や一五七五年の長篠の戦いなどが当てはまります。アヘン戦争にはイギリス側の新しいテクノロジーの変化に対して清国が対応出来ずに敗北した戦争です。

長篠の戦いに関して歴史学者の平山優氏は、インテリジェンスと兵站で武田軍は敗北したと言っています。織田信長と徳川家康の連合軍が設楽原に軍勢を分散させて隠していたため、織田・徳川連合軍の勢力を見誤り、武田勝頼が決戦を行なうことを決定したのがインテリジェンスの敗北と言えます。これは戦争の本質的な側面でしょう。

一方で戦争の特徴の変化に根差しているのが兵站の敗北です。これは鉄砲のことです。平山氏によれば、武田軍も鉄砲を用意していたのですが火薬と弾を織田・徳川連合軍よりも先に撃ち尽くしてしまったというのです。武田軍は新しいテクノロジー、戦争の特徴の変化に当たる鉄砲や兵站の確保が出来ずに敗北したことになります。戦争の本質を理解した上で特徴の変化を理解していくことが大事ですので、現代の戦争で変化をしている特徴は何か、ということをいくつかの項目に分けて整理していきたいと思います。

拡大する戦闘空間・バトルリズムの加速

戦争の変化する特徴をテクノロジーの視点から見ていくと、まず一つ目に「戦闘空間が拡大している」ということが言えます。いわゆるサイバー空間、宇宙空間、ハイブリッド戦争が主眼としている認知領域の戦いのことです。例えば、人の脳における認知領域に対してSNSなどを利用してプロパガンダを行い、敵国の市民の「脳」を押さえる戦い「制脳権」に中国は力を入れています。昔の戦争は「忍を放って噂を流せ」というのがありましたが、現代はTwitterなどでデマやフェイクニュースを流布して、平然と世論操作が世界中で行われています。つまり、人間の脳や心の部分も戦場になったのです。

もう一つが「空地中間領域」という地上と空中の間にある低空域が戦場になっています。アメリカの軍人が書いた論文には「海と陸上との間に岸辺があるように空と地上の間にも空岸（くうがん）がある」と書かれており、空岸にはドローンが飛んでいるのです。他にも「戦術空域コントロール」と「作戦空域コントロール」と呼ばれている空域があります。作戦空域コントロールはF35などのジェット戦闘機が飛んでいる空域で、戦術空域コントロールはドローンが飛ぶ空域であり、上の空域にあたる作戦空域の航空優勢を押さえたとしても、下の空域である戦術空域コントロールを押さえないと意味がないと言われています。

これは圧倒的な存在であったはずのロシア空軍、それにロシア陸軍の野戦防空網に対し、ウクライナ軍がドローンを中心とした低空域の航空優勢を確保して粘り強く戦っていることからも明らかではないでしょうか。

また実際にトランプ政権の時代、シリアに派遣されていた中佐がアメリカ議会にて「米軍は千フィート以下の制空権を取れていなかった」と証言をしています。つまり、千フィートより上は米軍がF35で制空権を確保しても、千フィート以下はＩＳＩＬ（イスラム過激派組織）などがAmazonで購入したようなドローンで爆撃を実行していたということです。やはり戦闘空間が拡大してきていると言えるのではないかと思います。

そして、最近の戦争でよく言われているのが「バトルリズム」です。戦争のテンポが異様に速くなっているのです。色々な理由があるのですが、一つには戦争システムが自動化していることが理由となります。ＡＩを含めた様々な手段で戦闘システムが自動化しており、ドローンやＵＡＶ（無人航空機）など、特にドローンに顕著に表れていて、センサーとシューターが一体化してきています。自爆ドローンという形で偵察をして直ぐに自爆攻撃を行えるのです。第二次世界大戦の時代のアメリカでは空母艦載機が偵察しながら爆撃をすることがありましたが、現代ではドローンがその役割を担い始めています。また、従来の兵器よりも安価であるドローンを各国の軍隊が導入しているため、戦争の作戦テンポがどんどん速くなってきています。

また、各国の軍隊は組織的なフラット化を進めており、構造改革に力を入れています。なぜ構造改革を進めているのかというと、軍隊の部隊編成単位である師団とか旅団、連隊、大隊というのは一九世紀のナポレオン戦争の時代に出来たシステムであり、現代の軍隊に合わなくなってきているためです。

例えば、ナポレオン戦争の時代の通信手段は腕木通信や伝書鳩を飛ばすか、伝令を飛ばすしかなく、伝言ゲームになってしまうため大量の人員を育てる必要がありました。ですが、インターネットがこれだけ進化した現代においては「こんなに人員はいらないよね」ということで、構造改革が進んで組織がスリムになってきていて、OODAループやIT化なども取り入れられて組織の意思決定の回転が速くなってきています。

バトルリズムが速くなる要因には戦闘空間の拡大も関係しています。従来の陸海空の戦闘空間に加え、宇宙やサイバー空間を用いて相手を攻撃出来るようになっているので展開が速くなっています。海上自衛隊幹部学校防衛戦略教育研究部戦略研究室員の高橋秀行氏による論文（「軍事的意思決定概念の新旧比較分析―米国の『モザイク戦』概念の視点から——」『海幹校戦略研究』第10巻第2号、２０２０年12月、48－76頁）で書かれていますが、「モザイク戦」という概念はＤＡＲＰＡ（国防高等研究計画局）の戦略技術室長であったトム・バーンズらが考え出しました。この概念は将来戦だとも言われています。

モザイク戦というのはドローンや無人兵器などをタイルに見立てて、それら大量のタイルをＡＩによって秒単位で動かしていく戦いです。秒単位で戦うためには意思決定速度を速くする必要があるので、ＡＩを導入しなければいけないのがモザイク戦です。米陸軍も将来ビジョンとして「ハイパーアクティブ戦場」という概念を言っています。この概念においても何千もの無人兵器がＡＩによって秒単位で動く戦いが語られています。

米軍は将来戦が秒単位のバトルリズムで動いていくことを言っているのですが、自衛隊の場合は「航空自衛隊は秒単位、海上自衛隊は日単位、陸上自衛隊は週単位」というバトルリズムで動いています。そうなると米軍の動きに自衛隊はついていけなくなるという問題が発生すると思われますが、とにかく最近の戦争の展開が速くなっているのは、以上のような理由が挙げられます。

非軍事的手段の拡大

次にハイブリット戦争に関するお話をしていきますが、ハイブリット戦争の特徴として言えるのが「非軍事的手段の拡大」です。昔から非軍事的手段の戦いはありましたが近年は拡大しています。例えば、「Twitter や Facebook などで「bot（インターネット上で事前に設定された処理を実行するプログラム）」を用いたフェイクニュースを流したりする影響力工作は認知領域の戦いと言えます。また、サイバー攻撃によって相手のインフラ機能を破壊するのも非軍事的手段によるものです。

基本的に軍隊を動かすことと相手の心理にプロパガンダ攻撃を仕掛けることは同時並行で進めます。相手を動揺させて出来る限り血を流さずに勝つために、軍事力を使うが武力行使まではしないようにする。このように最近の戦争の特徴として、非軍事的手段を用いる場面が色々と増えています。

ここで課題になるのが「軍人のプロフェッショナリズムとは何か」という話です。湾岸戦争の結果を受けての精密長距離攻撃兵器や無人兵器に至るような軍事革命というのは、軍事と非軍事の垣根が消えて軍独自のプロフェッショナリズムを相対化してしまったと言われています。例えば、今回のロシア・ウクライナ戦争ではドローン民兵部隊がドローンキットから作った改造爆撃ドローンでキエフ北方の大渋滞を作り出し、今も東部戦線で戦車や装甲車を撃破しています。これは民生品を扱う民間人でも強力な能力を発揮できることを意味しています。

このプロフェッショナリズムの相対化は、九〇年代から米国の学者も色々と言っていますが、なかなか難しくて考えていくべき課題だなと思います。

また、各国の軍隊は急速に兵器の無人化を進めています。米陸軍では陸軍参謀総長が次期装甲車両の導入に関して演説をしており、無人戦闘車の開発や実験が進んでいます。タイ海軍では自国開発の海上偵察用ドローンを空母に離発着させる実験に成功しています。トルコ海軍は世界初のドローン空母の開発を目指しています。ＴＢ３という武装ドローン（ウクライナで今活躍しているＴＢ2の改良型）を艦載機にするのではないかと言われています。新しい戦闘ドローンは諜報・監視・偵察および小規模な攻撃が可能になっています。二〇二二年二月二四日から勃発したロシアによるウクライナ侵攻では、ウクライナ軍によるロシア軍の兵站破壊でトルコ製の武装ドローンＴＢ２が活躍しています。

これだけドローンが世界各国の軍隊で導入されているので対策も考えられています。中国軍では電子戦に備えて装甲車に六角形のパネルを貼り付けて赤外線を反射させたり、トラックの上部にサーマルカメラ対策用の板を設置するなど、結構ローテクな対策も取り入れています。自衛隊なども二〇二二年に電子戦部隊を創設したり、電子戦アセットを導入しています。ただ、電子戦アセットはドローンなどと比較して高額ですので、まんべんなく各部隊に配備するのは不可能です。

無人戦力が現代戦を考える上で前提になる流れは止まらないと思われます。少なくともベストミックスの最適解を日本以外は実際に部隊で使いながらどんどん進めています。そうなると何が考えられるのかというと「リスクある行動が可能になる」ということです。少子化が世界各国で進んで、戦争によって死ぬことが異常となり、病気で死ぬことが当たり前になった現代においてはリスキーな行動は取れないのです。映画『３００〈スリーハンドレッド〉』のように「全滅しておとりになってこい」みたいな戦法は無理ということです。しかし、無人戦力だとリスキーな行動が可能になります。無人戦力がどれだけ全滅しても人的損害はありません。ドローンやＵＡＶが墜落したときに「一機一億円もかかっている」と非難を言う人がいますが、Ｆ35が墜落した場合は一機〇〇億円で人間も乗っていますので比較にならない損害です。

少し余談ですが、ウクライナ政府はトルコからＴＢ２を最初に購入するときに「国産化させてくれ」とトルコ側に頼みました。何故かと言うと国産化しないと消耗的にＴＢ２を使用することが出来ないためです。自衛隊が使用しているスキャンイーグル（小型偵察用無人航空機）が過去、訓練中に紛失したことがありましたが、海外製だから困ったわけです。日本も国産のドローンをちゃんと育てていくと、リスクある行動が取れるようになり、戦術、作戦における自由度が高まります。

リスクある行動を取るには勇気を持つことが大事になってくるのですが、クラウゼヴィッツは「勇気には二つある」と言っています。一つ目の勇気は「自分の身を顧みない勇気」で、二つ目が「責任を負う勇気」です。人間の兵隊を指揮する場合「部下が死んだら責められるのではないか」「マスコミに叩かれるかもしれない」という外的圧力や自身の良心などが、リスクある行動を取りづらくさせますが、無人戦力化しておくとやりやすくなります。戦闘の前面に無人兵器を展開し、有人アセットが後方で指揮を取ることで勇気ある指揮官を生み出しやすくなるのです。

また、リスクある行動が取りやすくなると戦術、作戦のテンポが加速します。部下を指揮する場合は、部下に対して演説をしたり、機嫌を取ったりする必要が出てきますが、無人兵器ならばボタンを押すだけで行動に移させられます。さらに、戦術、作戦のテンポが加速すると敵に対する主導権が強化されるのです。極端な話ですが、有人部隊が一手を指す間に無人戦力は十手させるという感じです。無人戦力が取り入れられるとこのような戦争に変化していくのです。

戦争の「中世化」

現代の戦争における変化した特徴の一つは、「戦争が中世に先祖返りしている」ことではないかと思っています。サイバー戦はある意味、中世の戦いです。色んなハッカーの方と話をしていると「物量は戦力にならない」と言われます。優秀なハッカーは中世の武士や騎士のような精鋭能力を持った存在なのです。農民が竹やりを持っても武士には敵わないように、一般人は優秀なハッカーに対抗出来ない様子は中世の戦いと言えます。一方でドローンというのは、一般人でも強くなれる兵器という意味で鉄砲の再来なのです。つまり、ドローンを使うことでそこら辺の武装勢力でもアメリカに対して低空域の制空権を取れてしまいます。今のウクライナ軍もそうでしょう。

ドローンは鉄砲の再来という話は、経済安全保障の話にもつながります。「民生技術が高度化して軍事転用されている」と言われるのですが、近代以前の時代は民生技術と軍事技術は一緒でした。近代になってから民生技術と軍事技術の差はかなり開いていきましたが、中世の時代の鍛冶屋は鉄砲も普通の包丁も作っています。民生技術が高度化したというよりも、逆に軍事技術がこれだけ突出した、ここ百年ほどが特殊で、近年の軍民の技術格差は中世の時代に先祖返りをしていると言えます。

もう一つ、ハイブリット戦や認知領域の戦いも中世の戦いのようなところがあります。戦国時代に「言葉合戦」という言葉による戦いがありました。両軍が互いに相手を言い負かすために挑発をしていくのですが、論破されてやる気をなくした軍勢は撤退してしまいました。認知領域の戦いにも似たような部分があり、SNSなどを交えながら「お前は負けだ」と情報戦を仕掛けて心理面に働きかける「デジタル四面楚歌」と言える戦い方がなされています。

また、現代の戦争は戦死者が少なく決戦も少ないという特徴があります。中世の戦争もほとんど戦死者が出ないですし、決戦もあまり起きませんでした。その理由は平時と有事の境界が曖昧であったためです。長篠合戦で武田軍が壊滅した後に勢威を取り戻せなかった理由は、当時の戦いに参加している戦国武将が戦死すると政治機構が麻痺してしまうためです。戦国武将は今でいうと「市役所の課長兼警察署長兼裁判官兼…」と様々な政治的役割を担っていました。戦国武将が役職を色々と兼務しているので、決戦は避けられていたのです。これは現代の戦争において殲滅戦が避けられている状況と似ています。平時と有事の境界がきっちりと分かれたのは近代以降の戦争からです。

そして、ムスリム勢力は中世まではオスマントルコ帝国を築くなど最盛を誇り、近代になると弱くなっていきましたが、近年はドローンやSNSなどを取り入れたことでムスリム勢力が強くなってきていますので、ある意味で中世に戻ってきていると感じます。現代は「新しい中世」という言い方も出来るかと思います。

変化した戦争の特徴から見える将来戦の重要な要素

変化した戦争の特徴から将来戦における重要な要素を三つお話したいと思います。

一つは軍事における「知性」の重要性です。これは一般的な知性、偏差値などとは違います。軍事における知性とは何かというと「問いを立て、目的を設定し、各目標を選び出し、柔軟に実現していく営為」のことを言います。日本のコロナ対策において一番欠けている部分ではないかと思います。その上で「作戦術」という言葉がありまして、色々な戦術レベルの行動を戦略目的が達成出来るように組み合わせていくというのが作戦術です。戦争の特徴が変化をしてバトルリズムが秒単位で進むというカオスな状況において、人間の知性はより重要になると思います。

二つ目が「イネーブラーとしてのテクノロジーの重要性」です。「技術は戦争を変えるのか、変えないのか」という不毛な論争があるのですが、そういう問題ではなくてテクノロジーはイネーブラーではないかと思います。つまり、何かを可能にするためのテクノロジーを組み合わせることで初めてテクノロジーは意味を持つし、そうしなければいけないのです。

三つ目は「主導権を握ることの重要性」です。現代戦はＡＩによる秒単位で操作されるドローンが戦場を飛行し、有事と平時の境界があいまいな認知領域の戦いが繰り広げられて、多様な階層で戦われているカオスな状況となっています。様々な場面が戦いになる現代戦では、主導権を握り、相手を混乱させている間に戦いを終わらせることが大事ではないかと思います。

最後に国際法の中で問題になっている無人兵器に関してお話しします。米海軍はノマドとレンジャーという大型無人水上艦（ＬＵＳＶ）をパナマ運河経由でカリフォルニアまで無人航行試験を実施し、成功を納めています。二〇二一年一〇月にはＳＭ－６（対空ミサイル）の試射も行われて実用化に向けて動いています。将来的には艦隊の付属弾薬庫として無人艦艇を運用していくと言われています。この背景は何かというと、今後、米海軍は維持費が高い大型イージス艦を退役させていき、失った戦力を大型無人水上艦で補うという計画があるためです。ただ、完全に無人化しているわけではなく、港から出航するときは少人数の乗組員で操作しています。出航後は無人航行による運航となります。

この大型無人水上艦が国際法的に問題になっているのは、「軍艦と船舶のどちらに該当するのか」という理由です。国際法上の軍艦の定義では士官が乗船していて、士官が乗組員の指揮をしていなければならないとされているので、大型無人水上艦はモノに当たるのではないか、という話になるのです。一応、国際法に詳しい方にお話を聞いたら、士官が大型無人水上艦を遠隔操作している場合は、士官が乗船しているという法解釈をしていくのではないか、ということでした。

また、無人兵器の導入に関して、イギリス軍では無人水上艇が導入され、インドネシア軍やエジプト軍も国産の武装ドローン開発を進めるなど、世界各国で新しいテクノロジーが取り入れられています。

戦争の本質と特徴の変化について話をしてきましたが、戦争の特徴は新しいテクノロジーをテコにして変化をしているだけではなく、テクノロジーの使い方を人間が色々と考え出しているため、このような戦争の特徴の変化が起きているのではないかと思います。

おわりに

倉山満（救国シンクタンク所長・理事長）

（一社）救国シンクタンクのフォーラムは、二〇二二年一月二十二日に行われた。白眉は、ロシアの軍事侵攻を日付まで言い当てた、小泉悠先生であるのは間違いなかろう。「かつてない危険が高まった」との慎重な表現だったか、多くの根拠をあげて「どうしてもやらないとは思えない」とおっしゃられていた。

さて、手前味噌である。ロシアが行動を起こす前、国際政治の関心は「米中冷戦」に集中していた。ロシアなど「終わった国」扱いだった。しかし私は「米中対立だからこそ、ロシアに注目せよ」と主張し続けた。救国シンクタンクでは研究会に月に数回、外部講師をお呼びして研究会を行っているが、小泉先生は最多回数のお願いをした。その後、ロシアが本当にウクライナへの侵攻を行い、小泉先生をテレビで見ない日は無いとなるのは周知の通りである。

そこで今である。私は、「ロシアがウクライナで事を起こしたからこそ、中国から目を離すな！」と訴えている。中国の専門家の中川研究員の役割が重要だと考えている。

多くの人は、何か事件が起きると、そこにだけ関心を集中させる。しかし、誰もが関心を抱く事象の分析も重要だが、多くの人が気付かない争点を提示するのもシンクタンクの重要な仕事である。そして、いついかなる時でも、「どうなるか？」よりも「どうするか！」を大事にしたい。

隣国の核保有国が、残虐な侵攻を行った。対岸の火事と、何もしない訳にはいくまい。今のうちに、自分の国を自分で守れるよう、準備をしておかねばならない。

日本国は、地球上で文明国として生き残ることができるか？

いつまでも敗戦国として、奴隷のように周辺諸国の顔色を窺って生きていくのか。内に豊かな国民があり、外には誰にも媚びない、真の意味で自由な国となるのか。今を生きている我々の決断だけだ。

救国シンクタンクは、如何にすれば日本国民が自由を享受できるかを研究しているが、国際社会の中で日本が生き残れなければ国民の自由などありえない。

今後も日々の研究を続け、提言・普及・実現につなげていくつもりだ。少しずつでも実現できる政策を、増やしていきたい。

救国シンクタンク叢書
大国のハイブリッドストラグル
大国は自己の権益を拡張せんと蠢いている

2022年7月22日　初版発行

編　者　救国シンクタンク
発行者　伊藤和徳

発　行　総合教育出版 株式会社
〒170-0011
東京都豊島区池袋本町3-21-6
電話　03-6775-9489
発　売　星雲社（共同出版社・流通責任出版社）

構成・編集　倉山工房
進行　土屋智弘
装丁・販売　奈良香里
印刷・製本　株式会社シナノパブリッシングプレス

Printed in Japan
ISBN978-4-434-30684-6